COUCHER DE SOLEIL À SAINT-TROPEZ

Danielle Steel

COUCHER DE SOLEIL À SAINT-TROPEZ

Roman

Traduit de l'anglais (Etats-Unis)
par Marie-Pierre Malfait

PRESSES
DE LA CITÉ

Titre original : *Sunset in St. Tropez*

© Danielle Steel, 2002
© Presses de la Cité, 2004, pour la traduction française
ISBN 2-258-06272-1

A l'Equipe des Six :
Jerry et David,
Knud et Kirsten,
Beverly et John,
Merci d'être toujours là pour moi,
Dans les bons et les mauvais moments,
Les merveilleux aussi,
A vous, mes très chers amis.

Avec tout mon amour,

d.s.

1

Diana Morrison alluma les bougies qui ornaient la table de la salle à manger, dressée pour six convives. Spacieux, décoré avec goût, l'appartement offrait une vue imprenable sur Central Park. Diana et Eric vivaient ici depuis près de vingt ans. Leurs deux filles étaient parties quelques années plus tôt. Samantha avait pris un appartement dès qu'elle avait décroché son diplôme de l'université de Brown. Quant à sa sœur Katherine, elle s'était mariée cinq ans auparavant, déjà. C'étaient des jeunes femmes pétillantes et affectueuses, drôles et brillantes. Diana s'entendait merveilleusement bien avec elles, et il lui arrivait parfois de regretter leur présence stimulante.

Non pas qu'elle s'ennuyât aux côtés d'Eric... au contraire, tous deux profitaient de chaque instant passé ensemble, conscients de leur chance inouïe. A cinquante-cinq ans, Diana était rayonnante de beauté et de dynamisme ; quant à Eric, il veillait soigneusement à entretenir la flamme qui brillait entre eux depuis le jour de leur mariage, trente-deux ans plus tôt. De par sa profession, il savait ce que les femmes attendent des hommes et il se servait des précieux conseils qu'elles lui donnaient pour séduire son épouse. La soixantaine séduisante, sportif et énergique, Eric avait récemment encouragé Diana à consulter un chirurgien esthétique pour un léger lifting des paupières. Fin psychologue, il avait deviné que son épouse se sentirait plus épanouie après l'intervention. Et il avait eu raison. A la lumière des bougies qu'elle venait d'allumer sur la table du réveillon, Diana paraissait dix ans de moins que son âge. Une expression radieuse éclairait son visage. Une sérénité extraordinaire se dégageait de tout son être.

Coupés au carré, ses cheveux blancs comme neige mettaient en valeur ses traits délicats et le bleu vif de ses grands yeux. Eric aimait à lui dire qu'elle était toujours aussi jolie que lorsqu'ils s'étaient rencontrés. A l'époque, elle était infirmière au Columbia-Presbyterian, où Eric faisait son internat dans le service d'obstétrique. Six mois plus tard, ils étaient mariés et ne s'étaient plus quittés depuis. Elle avait arrêté de travailler quand elle était tombée enceinte de Katherine. Par la suite, elle était restée à la maison pour s'occuper de ses filles, permettant ainsi à Eric de se consacrer pleinement à son travail. Combien de nuits avait-il passées à l'hôpital, appelé d'urgence pour un accouchement ? C'était même lui qui avait aidé sa fille Katherine à mettre au monde ses deux garçons. La passion qu'il vouait à son travail emplissait Diana d'une fierté indicible.

Eric possédait l'un des cabinets de gynécologie-obstétrique les plus réputés de New York. Bien que deux de ses associés aient pris leur retraite l'année précédente, Eric n'avait aucune envie de les imiter.

10

Les horaires contraignants, les astreintes à répétition, les jours fériés et les week-ends passés à travailler ne le dérangeaient pas. Habituée à cette vie pleine d'imprévus, Diana se moquait de le voir partir en pleine nuit ou de devoir annuler un dîner au dernier moment. Après tout, cela faisait plus de trente ans qu'ils vivaient ainsi.

Oui, la vie avait été douce pour eux. Aux yeux de bon nombre de leurs amis, ils incarnaient la famille idéale. Un train de vie confortable, un couple uni, deux filles belles et intelligentes, que pouvait-on rêver de mieux ? Depuis le départ de Katherine et de Samantha, Diana travaillait comme bénévole pour Sloan-Kettering, le grand centre de cancérologie new-yorkais ; elle organisait régulièrement des soirées et des réceptions destinées à récolter des fonds pour la recherche médicale. Il s'était passé trop de temps pour qu'elle puisse reprendre son activité d'infirmière et, d'ailleurs, elle n'y avait jamais vraiment songé. Entre ses activités bénévoles, les nombreux centres d'intérêt qu'elle partageait avec Eric, les voyages qu'ils faisaient de temps en temps et ses deux petits-fils qu'elle gardait parfois, elle n'avait jamais le temps de s'ennuyer.

Un bruit de pas l'arracha à sa rêverie, et elle tourna la tête. Eric s'immobilisa dans l'embrasure de la porte. Leurs regards s'unirent, pleins de tendresse et de complicité.

— Bonsoir, madame Morrison... vous êtes resplendissante, dit-il en l'examinant d'un air admiratif.

L'amour qu'Eric portait à sa femme sautait aux yeux de n'importe quel observateur. Malgré ses traits volontaires, son visage avait gardé toute la fraîcheur de l'adolescence ; une fossette creusait son menton. Ses yeux étaient du même bleu lumineux que ceux de Diana. Depuis quelques années, son épaisse chevelure blond cendré se striait de fils argentés. Son costume à la coupe impeccable mettait en valeur son corps élancé, ses larges épaules et ses hanches étroites. Pour se maintenir en forme, Eric parcourait, tous les dimanches après-midi, des kilomètres à vélo dans le parc. Il jouait aussi au tennis le weekend, quand il n'était pas d'astreinte. Tous les soirs, même après une journée harassante, il allait nager à la piscine ou jouer au squash. Séduisants, en pleine forme, lui et sa femme incarnaient l'éclat de l'âge mûr.

— Bonne année, ma chérie, murmura-t-il en s'avançant vers elle.

Il la prit par la taille et l'embrassa.

— A quelle heure doivent-ils arriver ? demanda-t-il, faisant allusion aux deux couples d'amis qu'ils avaient invités.

— A 8 heures, répondit Diana.

Son regard glissa sur la bouteille de champagne qui reposait dans un seau en argent rempli de glace pilée. Eric alla se servir un Martini.

— Robert et Anne, en tout cas, reprit-elle. Quant à Pascale et John, avec un peu de chance, ils arriveront avant minuit.

Eric laissa échapper un rire amusé. Il jeta une olive dans son verre et pivota sur ses talons.

Eric et John Donnally avaient fait leurs études ensemble à Harvard. Depuis, bien que diamétralement opposés, ils étaient les meilleurs amis du monde. Eric était d'une nature sociable, ouverte et généreuse. Amoureux des femmes, il passait des heures à discuter avec elles tous les jours, dans son cabinet. A l'inverse, John était un petit homme râblé, irascible et têtu, qui passait son temps à se chamailler avec sa femme. Une réputation de séducteur lui collait à la peau, bien que personne ne l'ait jamais surpris en flagrant délit de trahison conjugale. En vérité, John était profondément épris de son épouse, même s'il répugnait à l'admettre en public. Pascale et lui entretenaient depuis toujours une relation explosive... mais durable. De huit ans la cadette de Diane, Pascale était aussi impulsive que son mari. De nationalité française, elle faisait partie du corps de ballet de New York quand John l'avait rencontrée. Elle avait alors vingt-deux ans. Aujourd'hui, un quart de siècle plus tard, elle n'avait rien perdu de sa grâce ni de sa délicatesse. Une cascade de cheveux châtains auréolait son magnifique visage illuminé de grands yeux vert émeraude. Elle donnait des cours de danse classique depuis dix ans. En apparence, Pascale et John n'avaient qu'un seul point commun : le manque de ponctualité. A part ça, ils semblaient prendre un malin plaisir à se disputer en public.

Pour ce réveillon de la Saint-Sylvestre, Eric et Diana avaient également invité un autre couple d'amis, Robert et Anne Smith. Ils s'étaient rencontrés trente ans plus tôt, lorsqu'Eric avait aidé Anne à mettre au monde son premier enfant. Ce jour-là était aussi née l'amitié qui continuait à les unir, après toutes ces années. Anne et Robert étaient juristes. Agée de soixante et un ans, Anne travaillait dans un cabinet d'avocats, tandis que Robert, à soixante-trois ans, exerçait la respectable fonction de juge. L'allure de ce dernier, à la fois imposante et distinguée, correspondait parfaitement à son titre. L'impression d'austérité qui émanait de lui masquait en réalité un cœur tendre et dévoué. Robert aimait avec force et loyauté sa femme, leurs trois enfants et ses amis. Eric avait suivi les grossesses d'Anne, devenant du même coup très proche d'elle.

Robert et Anne s'étaient rencontrés à la faculté de droit ; ils étaient mariés depuis trente-huit ans. En tant qu'aînés de leur petit cercle d'amis, ils imposaient davantage le respect que les autres — mais peut-être était-ce lié à leur profession. Moins bohèmes et fougueux que Pascale et John, moins dynamiques et glamour que Diana et Eric, ils n'en demeuraient pas moins ouverts et jeunes d'esprit. Les six amis formaient un groupe uni et soudé.

Ils dînaient ensemble une à deux fois par mois et saisissaient la moindre occasion pour se réunir. Au fil des ans, ils avaient partagé leurs joies, leurs espoirs et leurs désillusions, leurs inquiétudes concernant leurs enfants respectifs et aussi l'immense chagrin de Pascale face à sa stérilité. Elle avait tellement rêvé d'avoir un bébé après avoir mis un terme à sa carrière de danseuse ! Hélas, même les plus grands spécialistes auxquels Eric l'avait adressée n'avaient pu exaucer son souhait. Les fécondations in vitro, les inséminations artificielles, toutes les tentatives étaient restées infructueuses. John avait obstinément refusé de se tourner vers l'adoption, arguant qu'il n'avait aucune envie d'élever « le délinquant juvénile d'un autre ». Non, pour lui, les choses étaient claires : soit ils faisaient un enfant à eux, soit ils se résignaient à vivre juste tous les deux. Ce qui expliquait qu'à quarante-sept et soixante ans, focalisés sur eux-mêmes, Pascale et John passent leur temps à se titiller, pour le plus grand bonheur de leurs amis, habitués à leurs querelles aussi cocasses qu'anodines.

Une année, les trois couples avaient loué un voilier pour sillonner les Caraïbes. A plusieurs reprises, ils avaient également partagé une grande maison de vacances à Long Island. Ils avaient aussi visité l'Europe tous ensemble, heureux de pouvoir partager entre amis leurs aventures de voyage. Malgré leurs modes de vie et leurs tempéraments différents, ils s'entendaient tous à merveille, tolérant chacun les défauts et les faiblesses des autres, toujours ouverts et disponibles les uns pour les autres.

Depuis vingt ans, la tradition voulait qu'ils passent ensemble le réveillon du jour de l'An. C'était un moment qu'ils voyaient arriver avec un plaisir à chaque fois renouvelé. Le lieu de la réception changeait tous les ans. Chez Anne et Robert, les dîners commençaient tôt, se déroulaient dans une atmosphère paisible et s'achevaient peu après minuit. L'ambiance était plus animée chez Pascale et John ; souvent confectionnés à la dernière minute, les repas n'en étaient pas moins exquis et les soirées passionnantes, ponctuées des sempiternelles disputes des maîtres de maison, grands amateurs de vin et de champagne... mais bien sûr, Pascale préférait les cépages français tandis que Robert ne jurait que par les vins californiens ! Mais c'était tout de même chez Diana et Eric qu'ils s'amusaient le plus. Leur appartement était spacieux et élégant, la cuisinière que Diana employait pour les repas de fête préparait des menus à la fois fins et originaux, toujours accompagnés de vins exceptionnels. Dans ce cadre de rêve, tous se sentaient obligés de porter leurs plus beaux habits et d'observer les règles du savoir-vivre. Même Pascale et John faisaient un effort, quand ils venaient ici. Ce qui ne les empêchait pas de se disputer au sujet d'un vin dont ils avaient oublié le nom, ou d'un voyage qu'ils projetaient de faire bientôt. John aimait l'Afrique, Pascale le sud de la France. John prenait un malin plaisir à railler sa belle-mère, qu'il détestait cordialement. Il prétendait haut et fort haïr la France, les Français et tout ce qui touchait de près ou de loin au pays de son épouse. Par esprit de vengeance, Pascale ne se gênait pas pour critiquer avec humour la mère de John, installée à Boston. Malgré ces piques et ces chamailleries, les six amis ne pouvaient se passer les uns des autres. Une profonde affection les liait et c'était toujours avec un réel plaisir qu'ils se réunissaient.

Le carillon de l'entrée retentit à 19 h 59. Eric et Diana ne furent pas surpris de découvrir Anne et Robert sur le palier. Anne portait une robe de soirée noire ornée d'un petit col montant. Elle avait rassemblé son opulente chevelure grise en un élégant chignon ; des perles fines brillaient discrètement à ses oreilles. Vêtu d'un smoking à la coupe impeccable, ses cheveux blancs soigneusement coiffés, Robert se tenait à côté d'elle, tout sourire.

— Bonsoir, dit-il en se penchant vers Diana pour l'embrasser sur la joue.

Les quatre amis échangèrent leurs vœux pour l'année à venir.

—Nous ne sommes pas en retard, j'espère…? reprit Robert en fronçant les sourcils. Il y avait une circulation incroyable.

Robert et Anne habitaient dans le quartier de East Heighties, tandis que Pascale et John vivaient près du Lincoln Center, dans le West Side. Dieu seul savait à quelle heure ils arriveraient. Pour couronner le tout, il s'était mis à neiger, ce qui ne les aiderait pas à trouver un taxi.

Un sourire chaleureux aux lèvres, Anne ôta l'étole qui couvrait ses épaules. Bien qu'elle n'eût que six ans de plus que Diana, elle aurait presque pu passer pour sa mère. Avec ses yeux noisette et son teint de porcelaine, Anne possédait une beauté naturelle qu'elle n'avait jamais cherché à rehausser, préférant consacrer son temps libre à la lecture, à l'art, au théâtre et à la musique. Toutefois son travail lui laissait peu le loisir de s'adonner à ses passions. Ardente avocate des droits de l'enfant, elle s'était également beaucoup investie dans la création de structures d'accueil destinées aux femmes maltraitées. Son action totalement désintéressée lui avait valu plusieurs distinctions. Elle partageait avec Robert une véritable passion pour le droit et la justice, et elle n'hésitait jamais à s'engager quand il s'agissait de défendre des enfants et des femmes en détresse. Le couple était célèbre pour ses opinions libérales. Quelques années plus tôt, Anne avait même caressé l'idée de s'engager politiquement, soutenue en ce sens par de nombreuses personnes de son entourage. Elle y avait finalement renoncé, préférant se consacrer à sa vie de famille. Malgré ses qualités professionnelles extraordinaires, Anne ne s'était jamais départie de sa modestie. Très fier d'elle, Robert était son plus fidèle admirateur.

Anne s'assit sur le canapé du salon et Eric prit place auprès d'elle.

— Alors, alors, où étiez-vous passés, tous les deux ? demanda-t-il en posant un bras sur les épaules de son amie. Ça fait une éternité que nous ne vous avions pas vus !

Fidèles à leurs habitudes, Robert et Anne avaient passé les fêtes de Noël dans le Vermont avec leurs enfants et leurs petits-enfants. Leurs deux fils, Jeff et Mike, étaient mariés ; fraîchement diplômée en droit, leur fille Amanda était encore célibataire. Quoi qu'ils fassent, où qu'ils se trouvent, Anne et Robert rentraient toujours à New York pour passer le 31 décembre avec leurs amis. Ils n'avaient manqué qu'une seule fois à la tradition, l'année où le père d'Anne était décédé et qu'elle s'était rendue auprès de sa mère, à Chicago. Pour les six amis, le réveillon de la Saint-Sylvestre revêtait un caractère presque sacré. Pour rien au monde, ils n'auraient prévu autre chose ce soir-là.

Anne esquissa un sourire.

— Nous étions à Sugarbush, occupés à changer les couches et à chercher les moufles égarées, expliqua-t-elle d'un ton espiègle.

Ils avaient cinq petits-enfants et, bien qu'Anne n'ait jamais formulé aucune critique à l'encontre de ses brus, Diana avait senti dès le début qu'elle ne les appréciait guère. Ses belles-filles ne travaillaient pas et Anne désapprouvait leur mode de vie oisif. N'ayant jamais renoncé à son activité professionnelle, elle ne concevait pas qu'une femme puisse encore se faire entretenir par son mari. A ses yeux, ses deux belles-filles étaient trop gâtées.

— Et vous, qu'avez-vous fait pour Noël ? demanda-t-elle en souriant à Eric qu'elle considérait comme un frère, tant ils étaient proches.

— Nous étions chez Katherine et Sam. C'était très sympa. L'aîné de leurs deux enfants a essayé d'escalader le sapin pendant que le petit s'enfilait une cacahouète dans le nez. Résultat : nous nous sommes retrouvés aux urgences le soir du réveillon...

— Décidément, ils sont tous pareils, ironisa Anne avant d'ajouter : L'un des enfants de Jeff s'est cassé le bras pendant un cours de ski.

Elle aimait ses petits-enfants, mais ne cachait pas qu'elle les trouvait aussi adorables qu'épuisants. Robert partageait son opinion. S'il passait volontiers du temps avec la famille, il aimait aussi se retrouver seul avec son épouse. Au calme. Leur histoire d'amour s'était muée en une complicité à la fois tendre et indissoluble. Robert était fou amoureux de sa femme, comme aux premiers temps de leur mariage.

— Je me demande parfois comment nos propres enfants ont survécu à tout ça, fit observer Diana en tendant une flûte de champagne à son amie.

A quelques pas de là, un verre à la main, Robert enveloppa son épouse d'un regard admiratif. Elle était magnifique. Il lui avait murmuré quelques paroles flatteuses et l'avait embrassée tendrement, juste avant de partir.

— C'est peut-être une idée, mais j'ai l'impression que c'était plus facile quand nos enfants étaient petits, murmura Anne d'un air pensif. D'un autre côté, je n'étais pas toujours avec eux, puisque je travaillais.

Malgré leur vie de famille bien remplie et leurs activités professionnelles prenantes, ils avaient toujours réussi à préserver leur amour.

— Tout me paraît plus stressant de nos jours, à moins que ce ne soit mes nerfs qui fatiguent davantage, reprit-elle en souriant. J'adore mes petits-enfants, mais j'apprécie encore plus une soirée civilisée entre amis ! Robert a failli devenir fou avec le tintamarre qui régnait du matin au soir à Sugarbush.

Un sourire joua sur les lèvres de son époux.

— J'apprécierai encore plus mes petits-enfants quand je deviendrai dur de la feuille, plaisanta-t-il en posant sa flûte sur la table basse.

Au même instant, le carillon retentit et Anne consulta brièvement sa montre. Il était presque 20 h 30, un record de ponctualité pour les Donnally.

Eric alla ouvrir, pendant que Diana continuait à bavarder avec les Smith. Quelques instants plus tard, les voix de Pascale et de John retentirent dans l'entrée.

— Désolée pour le retard, commença Pascale avec son accent français fortement prononcé.

Elle vivait à New York depuis trente ans et parlait un anglais parfait ; pourtant, aussi bizarre que cela puisse paraître, elle n'avait jamais réussi à se débarrasser de ses intonations françaises — ou ne s'en était jamais donné la peine. Elle parlait sa langue maternelle dès que l'occasion s'en présentait, avec les serveurs dans les restaurants français, les vendeuses dans les grands magasins et, bien sûr, avec sa mère au téléphone, plusieurs fois par semaine. John se plaignait souvent de leurs conversations interminables. En vingt-cinq ans de mariage, ce dernier avait toujours refusé d'apprendre la langue de Molière ; il comprenait quelques mots au détour d'une conversation, et savait dire *merde* pratiquement sans accent.

— John n'a pas voulu chercher de taxi ! reprit Pascale d'un ton offusqué, tandis qu'Eric la débarrassait de son manteau avec un sourire indulgent. Il m'a obligée à prendre le bus, est-ce que tu te rends compte ? Le soir du 31 décembre, en tenue de soirée !

D'un geste rageur, elle repoussa une boucle brune qui dansait devant ses yeux. Le reste de sa chevelure était noué en chignon bas, semblable à celui qu'elle avait porté sur scène durant des années. Malgré ses quarante-sept ans, elle possédait une sensualité et une grâce infinies. A cet instant précis, ses yeux verts lançaient des éclairs.

— J'aurais préféré prendre un taxi, crois-moi, s'insurgea John, mais la vérité, c'est que nous n'en avons pas trouvé !

Pascale émit un grognement contrarié.

— Foutaises ! La vérité, c'est que tu ne voulais pas mettre la main à la poche, oui !

John traînait derrière lui une réputation de pingre, dont il ne cherchait même plus à se défendre. Mais, avec la neige qui continuait à tomber à gros flocons, il était tout à fait possible qu'ils n'aient pas trouvé de taxi. Feignant d'ignorer la remarque acerbe de son épouse, il suivit Eric au salon et salua ses amis avec entrain.

— Veuillez excuser notre retard, ajouta-t-il d'un ton amusé.

Les colères de sa femme ne l'impressionnaient plus. Après tout, elle était française, donc très susceptible et souvent excédée. John, lui, mettait davantage de temps à sortir de ses gonds. Trapu et solidement charpenté, il avait fait partie de l'équipe de hockey de Harvard quand il était étudiant. Pascale et lui formaient un couple saisissant, elle menue et délicate, lui râblé et puissamment musclé. On les avait souvent comparés à Katharine Hepburn et Spencer Tracy.

— Bonne année à tous ! reprit-il en acceptant la flûte de champagne que lui tendait Diana.

Pascale fit la bise à Eric, puis à Anne et à Robert. Diana la prit dans ses bras et la complimenta sur sa tenue et sa mine resplendissante.

— *Alors, les copains !* s'exclama Pascale en français. Avez-vous passé un bon Noël ? De notre côté, ce fut un vrai désastre, enchaîna-t-elle d'un trait. John déteste le costume que je lui ai offert et vous ne devinerez jamais ce qu'il m'a fait comme cadeau, lui... une gazinière, vous imaginez un peu ? Une gazinière ! Pourquoi pas une tondeuse à gazon, ou mieux encore : un camion !

Son air indigné provoqua l'hilarité générale.

— Rassure-toi, Pascale, je ne me risquerai jamais à t'acheter un véhicule... tu conduis trop mal ! riposta John d'un ton taquin.

— Je conduis mieux que toi, mon chéri, susurra Pascale en prenant une gorgée de champagne, et tu le sais pertinemment. Tu n'oses même pas prendre le volant à Paris, froussard.

— Rien ne me fait peur, en France, à part ta mère, répliqua John, pince-sans-rire.

Pascale leva les yeux au ciel, avant de se tourner vers Robert. Comme Anne, ce dernier était un passionné de théâtre et de danse classique. Pascale et lui pouvaient parler danse et opéra pendant des heures ; il aimait aussi pratiquer avec elle son français, trop long-temps négligé, pour la plus grande joie de Pascale.

Le petit groupe bavarda joyeusement en buvant du champagne, jusqu'à l'heure du dîner. Au bout d'un moment, John finit par avouer qu'il n'était pas mécontent d'avoir pris le bus — il avait ainsi économisé le prix d'une course en taxi... Amusés par sa franchise, ses amis le taquinèrent au sujet de son avarice légendaire, et il rit de bonne grâce à leurs moqueries.

Eric et Anne échangèrent leurs souvenirs de vacances à la montagne. Diana déclara qu'elle brûlait d'envie d'aller skier à Aspen. Pascale et Robert commentèrent le début de la saison de danse. Quant à Diana et John, ils devisèrent de la situation économique du pays, de l'état de la bourse et des derniers placements réalisés par les Morrison. Conseiller financier dans une banque d'investissement, John aimait parler de son travail. Les goûts et les passions de chacun se mêlaient harmonieusement, et ils abordaient des sujets graves, puis d'autres plus légers, avec la même facilité. Lorsque Diana les pria de passer à table, Anne confia à Eric que la femme de son fils aîné attendait encore un bébé. Ce serait leur sixième petit-enfant.

— Moi, au moins, je ne connaîtrai jamais le traumatisme qu'une femme doit éprouver quand on l'appelle « grand-mère » pour la première fois, lança Pascale d'un ton léger.

Mais l'humour de ses propos cachait en réalité une profonde détresse, et ses amis n'étaient pas sans le savoir. Comment auraient-ils pu oublier les six années de traitements intensifs qu'elle avait scrupuleusement suivis dans l'espoir de tomber enceinte ? Hélas, chaque tentative s'était soldée par un échec, et tous l'avaient aidée à surmonter le chagrin qui lui tordait le cœur et l'âme, à chaque fois plus intense. Ç'avait été une période éprouvante pour le petit groupe. Ils avaient eu peur, un temps, que le mariage de Pascale et John ne résiste pas à ces coups répétés. Heureusement, ils avaient tenu bon, même dans l'adversité.

Pascale avait vécu une véritable tragédie, quand John avait refusé catégoriquement d'adopter un bébé. Ç'avait été pour elle l'estocade finale, la mort définitive de son rêve le plus cher. Depuis quelques années, elle affirmait s'être résignée ; l'idée de ne pas être mère ne la taraudait plus comme avant. Pourtant, la mélancolie se lisait sur ses traits chaque fois que ses amis parlaient de leurs enfants. Eric avait bien essayé de faire entendre raison à John. Après tout, l'adoption était une excellente solution pour les couples stériles. Mais celui-ci était resté sur ses positions. Malgré l'amour qu'il portait à sa femme, il refusait obstinément d'accueillir, d'élever et d'aimer l'enfant d'un autre couple. C'était inconcevable, à ses yeux. Sa décision avait profondément peiné leur cercle d'amis, autant désolés pour Pascale que pour John.

Le sujet fut oublié, dès qu'ils s'approchèrent de la table joliment décorée. Diana était réputée pour son goût exquis et ses compositions florales à la fois originales et raffinées. Ce soir-là, elle avait habilement mêlé des oiseaux de paradis à quelques orchidées. De minuscules clochettes d'argent parsemaient la table, discrètement éclairée par de longues bougies blanches plantées dans des chandeliers en argent. De toute beauté, la nappe brodée qu'elle avait choisie pour l'occasion lui venait de sa mère. Le résultat était à couper le souffle.

— Je ne sais pas comment tu t'y prends, déclara Anne d'un ton admiratif.

Son regard glissa sur Diana, aussi éclatante que le décor féerique qu'elle avait créé. Sa longue robe en satin blanc se mariait avec sa chevelure de neige et soulignait divinement les courbes de sa silhouette élancée. Elle était presque aussi mince que Pascale, qui conservait un corps de rêve grâce aux six heures de cours de danse qu'elle dispensait quotidiennement. Grande et solidement bâtie, Anne se faisait l'impression d'une Amazone à côté de ses deux amies, si fines et si minces. Mais elle était intelligente, drôle et sûre d'elle, et surtout... surtout, Robert l'aimait à la folie. Combien de fois, au fil des ans, lui avait-il répété qu'elle était, à ses yeux, la femme la plus attirante qu'il ait jamais vue ?

Eric enlaça Diana et l'embrassa tendrement en la remerciant de ses efforts. En entendant ces mots prononcés avec une vibrante sincérité, Pascale darda sur John un regard ironique.

— Si tu te comportais ainsi, mon chéri, je mourrais d'une crise cardiaque ! Jamais tu ne m'embrasses, jamais tu ne me remercies... Jamais !

— Merci, mon amour, commença John en la gratifiant d'un sourire espiègle, pour tous ces délicieux repas surgelés que tu me laisses dans le micro-ondes, quand tu pars à tes cours de danse, le soir.

Il ponctua ses paroles d'un rire sonore.

— Comment oses-tu dire ça ? s'offusqua Pascale. Je t'ai préparé un cassoulet la semaine dernière et, avant-hier, tu as même eu droit à un coq au vin... Tu ne mérites décidément pas que je me donne du mal pour toi !

— Tu as raison. Sans compter que je cuisine bien mieux que toi.

Les yeux verts de Pascale s'assombrirent.

— Tu es un monstre ! Je te préviens tout de suite, John Donnally, je ne rentrerai pas en bus ce soir ; je prendrai un taxi toute seule !

Française jusqu'au bout des ongles, Pascale s'enflammait au quart de tour. Leur relation se nourrissait depuis toujours de fougue et de passion.

— J'espérais bien que tu dirais ça, répliqua-t-il en souriant à Diana, qui venait d'apporter un plateau d'huîtres.

Tous partageaient la même passion pour les fruits de mer. Diana avait prévu du homard en plat principal. Suivrait une salade verte accompagnée d'un assortiment de fromages, par respect pour Pascale, qui détestait commencer le repas par la salade et qui s'estimait brimée s'il n'y avait pas de fromage. Le dîner se terminerait par une omelette norvégienne, le dessert préféré d'Eric. C'était un repas de fête et tous semblaient décidés à s'amuser.

— Mon Dieu, tu nous as encore gâtés ! s'exclama John lorsque Diana sortit de la cuisine avec le dessert flambé.

Une salve d'applaudissements l'accueillit.

— Pascale, tu ferais bien d'emprunter quelques recettes à Diana, au lieu de t'obstiner à me faire manger de la tripaille, de la cervelle, des rognons et du boudin...

— Tu m'interdirais de dépenser autant pour de la nourriture, répliqua Pascale. Sans compter que tu raffoles des abats, ne dis pas le contraire !

— Je t'ai menti. Je préférerais mille fois manger du homard, lança son époux tout en adressant un clin d'œil complice à leur hôtesse.

Robert ne put s'empêcher de rire. Même au bout de vingt-cinq ans d'amitié, les chamailleries des Donnally continuaient à l'amuser, car elles étaient tout à fait anodines. Dans un monde dur et instable, leurs couples étaient unis et solides, étonnamment harmonieux. Tous étaient conscients d'avoir eu beaucoup de chance de rencontrer l'âme sœur et d'être entourés d'amis fidèles. Non sans humour, Robert les avait baptisés « les six mousquetaires ». Bien que ne partageant pas tous les mêmes intérêts, ils prenaient beaucoup de plaisir à se réunir et à passer du temps ensemble.

Il était 23 heures passées quand Anne fit observer que John et Eric avaient fêté leurs soixante ans au cours de l'année écoulée. Elle-même avait franchi le cap de la soixantaine l'année précédente et, si cela l'avait affectée sur le moment, elle n'y songeait plus du tout. En fait, elle se sentait encore très jeune dans sa tête, et c'était là l'essentiel.

— Nous devrions fêter ça, déclara Diana en apportant le café.

Avec la bénédiction de ses compagnons, John alluma un cigare. Il arrivait parfois que Pascale en partage un avec lui, ce qui contrastait formidablement avec son apparence fragile et éthérée.

— Que proposes-tu pour nos soixante ans ? demanda Eric à l'adresse de sa femme. Un lifting pour tout le monde ? Ou au moins pour les hommes, car vous autres, ravissantes créatures, n'en avez guère besoin, ajouta-t-il en couvant sa femme d'un regard admiratif.

L'intervention de chirurgie esthétique qu'elle avait subie l'an passé demeurait leur petit secret. C'était Eric qui s'était chargé de lui trouver le spécialiste.

— Si vous voulez mon avis, John serait très séduisant après une petite opération, plaisanta-t-il en se tournant vers son ami.

A la vérité, les rides qui creusaient le visage de John ajoutaient encore à son charme viril.

— Il lui faudrait plutôt une bonne liposuccion, intervint Pascale en considérant son époux à travers l'écran de fumée blanchâtre.

Ce dernier se renfrogna.

— C'est à cause de ce fichu boudin que tu m'obliges à manger, bougonna-t-il.

— Et si j'arrêtais de t'en préparer ?

— Je te tuerais, répondit-il en esquissant un sourire malicieux.

Il lui tendit le cigare et Pascale aspira une bouffée de fumée d'un air béat.

— Je ne plaisante pas, insista Diana. Nous devrions fêter dignement les soixante ans de nos hommes.

Pascale et elle étaient encore relativement loin de ce cap décisif. Plus âgée que la Française, Diana le voyait pourtant approcher avec une angoisse grandissante.

— Pourquoi ne partirions-nous pas en voyage tous ensemble ? lança-t-elle à brûle-pourpoint.

Une lueur d'intérêt pétilla dans les yeux de Robert.

— Quelle destination proposes-tu ?

Dès qu'ils pouvaient se libérer de leurs obligations professionnelles, Anne et lui aimaient découvrir des pays lointains. L'été passé, ils avaient visité l'Indonésie et étaient revenus enchantés.

— Que diriez-vous d'un safari au Kenya ? proposa John d'un ton plein d'espoir.

Pascale lui jeta un regard horrifié. Quelques années plus tôt, elle l'avait accompagné au Botswana, dans une réserve de chasse, et avait décrété au retour avoir vécu un véritable cauchemar. Un seul pays l'attirait : la France, et plus particulièrement Paris, où elle aimait retrouver sa famille et ses amis. Pour John, hélas, ce n'étaient pas des vacances. Il détestait l'accompagner chez les uns et les autres, et attendre sans rien faire pendant qu'ils parlaient tous une langue qu'il ne s'était jamais donné la peine d'apprendre. Il aimait Pascale, là n'était pas la question, mais les membres de sa famille l'agaçaient ou l'ennuyaient à mourir, il n'y pouvait rien.

— Je déteste l'Afrique, les moustiques et la saleté. Pourquoi n'irions-nous pas plutôt à Paris ? fit Pascale, rayonnante.

— Quelle merveilleuse idée, railla John tout en rallumant son cigare. Nous n'avons qu'à descendre chez ta mère, elle serait ravie, j'en suis sûr. On ferait tous la queue devant la porte de la salle de bains, à attendre que ta grand-mère daigne enfin en sortir !

La grand-mère de Pascale, une vieille dame de quatre-vingt-douze ans, vivait avec sa mère et une de ses tantes dont le mari était décédé quelques années plus tôt. L'ambiance qui régnait dans l'appartement parisien le rendait fou, et il était obligé d'avaler de grandes rasades de bourbon pour supporter ce qu'il considérait comme un véritable calvaire. La dernière fois, il avait même pensé à apporter sa propre bouteille, le bar de sa belle-mère ne contenant que du Dubonnet et du vermouth. Dieu merci, les repas étaient toujours accompagnés de grands crus. Feu le père de Pascale avait été un grand amateur de bons vins, et son épouse avait retenu ses conseils avisés. C'était bien la seule qualité que John trouvait à cette femme !

— Un peu de respect pour ma grand-mère, je te prie, le rabroua Pascale. Quoi qu'il en soit, ta mère est encore plus insupportable que la mienne !

— Au moins, elle parle anglais.

— Je n'oserais pas non plus vous imposer ma mère, intervint Diana.

Les rires fusèrent. Ils avaient tous rencontré les parents de Diana et, bien que son père fût un homme jovial et facile à vivre, sa mère possédait un caractère extrêmement autoritaire, presque tyrannique, qui l'avait toujours irritée.

— Trêve de plaisanterie, où pourrions-nous aller ? Dans les Caraïbes ? Ou peut-être dans un endroit plus exotique... comme Buenos Aires ou Rio ?

Anne fronça les sourcils.

— Rio est un vrai coupe-gorge. Ma cousine y est allée l'an dernier ; on lui a volé son sac à main, ses bagages et son passeport. Elle a juré ses grands dieux qu'elle n'y remettrait jamais les pieds. Pourquoi pas le Mexique ?

— Ou le Japon, ou la Chine ? suggéra Robert, plein d'espoir.

Fasciné par l'Asie, il rêvait de visiter cette partie du monde en compagnie de ses meilleurs amis.

— Ou même Hong Kong, reprit-il. Les femmes s'en donneraient à cœur joie dans les magasins.

— Qu'est-ce qui ne vous plaît pas en France ? insista Pascale, déclenchant l'hilarité générale.

John fit mine de s'effondrer dans son fauteuil. Ils y allaient tous les étés !

— Je ne plaisante pas ! On pourrait louer une maison dans le sud. A Aix-en-Provence ou à Antibes, ou bien à Eze... Pourquoi pas à Saint-Tropez ? C'est un coin splendide.

John protesta avec véhémence. Mais Diana se pencha en avant, visiblement séduite.

— Pourquoi pas, au fond ? Ce serait sympa de louer une maison, et puis Pascale connaît peut-être quelqu'un qui pourrait nous en dénicher une belle. Ce serait plus drôle que de passer notre temps à sillonner un pays inconnu. Nous nous débrouillons un peu en français, Eric et moi. Anne et Robert parlent plutôt bien la langue. Pascale se chargerait des transactions importantes. Alors, les amis, qu'en dites-vous ?

Anne prit un air songeur, avant de hocher la tête.

— Pour être franche, l'idée me plaît assez. Nous sommes déjà allés à Saint-Tropez avec les enfants, il y a une dizaine d'années, et nous avions passé des vacances formidables. La ville est charmante et animée, c'est au bord de la mer, et la cuisine est exquise.

Ils y avaient passé une semaine délicieusement romantique, malgré la présence des enfants.

— On pourrait louer une maison pour le mois d'août, renchérit Diana. Et, John, ajouta-t-elle en regardant son ami avec gravité, on ne laissera pas la mère de Pascale s'approcher de notre antre, c'est promis.

— Il se trouve qu'on a une chance inouïe : elle part tous les ans au mois d'août en Italie.

— Tu vois, tu n'as rien à craindre de ce côté-là. Alors, qu'en dites-vous ? lança Diana à la cantonade.

Robert approuva d'un signe de tête. Saint-Tropez lui plaisait bien, et ils pourraient même louer un bateau pour découvrir d'autres villes de la côte.

— Je suis d'accord, déclara-t-il.

— Je vote pour Saint-Tropez, commença Eric d'un ton solennel, à condition que nous trouvions une maison agréable. Crois-tu que tu pourrais t'en occuper, Pascale ?

— Sans problème. Je connais plusieurs agences immobilières très sérieuses à Paris. Et si ma mère confiait ma grand-mère aux bons soins de ma tante, elle pourrait même visiter quelques maisons pour nous.

John secoua la tête avec véhémence.

— Je t'en prie, Pascale, laisse ta mère en-dehors de ça. Elle serait capable de choisir un truc affreux. Non, passons plutôt par une agence.

Ainsi, malgré les réticences qu'il nourrissait vis-à-vis du pays natal de son épouse — il se plaisait à le surnommer « le pays des grenouilles » —, John ne s'opposa pas au projet.

— Tout le monde est d'accord ? s'enquit Diana en considérant à tour de rôle chacun de ses amis.

Tous hochèrent la tête en signe d'assentiment.

— Parfait, alors nous partons à Saint-Tropez en août.

A ces mots, un sourire radieux illumina le visage de Pascale. Rien n'aurait pu lui faire davantage plaisir qu'un mois de vacances dans le sud de la France, en compagnie de ses meilleurs amis. Soudain, Eric annonça qu'il était minuit.

— Bonne année, ma chérie, murmura-t-il en embrassant tendrement sa femme.

Robert se pencha vers Anne pour déposer un baiser discret sur ses lèvres ; puis il mit les bras autour de ses épaules et lui souhaita beaucoup de bonheur pour l'année à venir. Pascale fit le tour de la table pour rejoindre son mari. Auréolé d'un halo de fumée odorante, John l'embrassa avec plus de passion qu'elle n'aurait cru. Malgré leurs prises de bec permanentes, ils formaient un couple aussi soudé que les autres — même plus uni à certains égards, puisqu'ils étaient seuls, sans enfants.

— Vivement l'été prochain, à Saint-Tropez, murmura-t-elle en se redressant, hors d'haleine. Ça va être génial.

— Dans le cas contraire, nous nous verrons dans l'obligation de te supprimer, Pascale chérie, déclara John d'un ton caustique. Après tout, c'est ton idée. Débrouille-toi pour nous trouver une belle maison, pas un de ces taudis qu'ils réservent aux touristes trop naïfs.

— Je vais nous dégoter la plus jolie maison de Saint-Tropez, je vous le promets, déclara-t-elle avec emphase.

S'installant sur les genoux de son mari, elle lui prit son cigare et tira longuement dessus. Puis ils se remirent à parler avec entrain de leur projet. Ce serait un été inoubliable, tous en convenaient joyeusement. Existait-il une meilleure façon de commencer une nouvelle année ?

2

Deux semaines plus tard, ils se réunirent tous chez Pascale et John, dans leur appartement du West Side. Ce soir-là, une pluie battante tombait sur la ville. Comme d'habitude, les Morrison et les Smith arrivèrent pile à l'heure. Ils se débarrassèrent de leurs imperméables et de leurs parapluies trempés dans le vestibule. La décoration était un mélange hétéroclite de masques africains, de sculptures modernes, d'antiquités que Pascale avait apportées de France et de somptueux tapis persans. Quelques bibelots tout à fait insolites, glanés au fil de ses tournées internationales, ne manquaient pas d'attirer l'attention du visiteur.

Une lumière tamisée éclairait le salon. De délicieux effluves s'échappaient de la cuisine. Pascale avait préparé un velouté aux champignons et un lapin à la moutarde. John, lui, s'était occupé de déboucher plusieurs bouteilles de château-haut-brion.

— Comme ça sent bon, ici ! s'écria Anne en se réchauffant les mains devant le feu dans la cheminée.

Pascale leur offrit un plateau de canapés.

— Ne vous fiez pas trop à votre odorat, railla John en versant le champagne dans les flûtes. Vous savez tous qui a cuisiné ce soir ! ajouta-t-il avec un sourire espiègle.

— *Toi alors !* s'exclama Pascale.

Lançant à son mari une œillade assassine, elle disparut à la cuisine pour vérifier la cuisson de ses plats.

Lorsqu'elle revint s'asseoir auprès d'eux sur les divans de velours pourpre, un sourire flottait sur ses lèvres.

— J'ai d'excellentes nouvelles à vous annoncer, déclara-t-elle sans ambages.

Un beau tableau était accroché au-dessus de la cheminée ; des bougies scintillaient aux quatre coins de la pièce et l'un des murs disparaissait presque complètement sous des photos de Pascale, prises lorsqu'elle dansait au ballet de New York. Le salon reflétait merveilleusement leurs deux personnalités, leur vie commune, les endroits qu'ils avaient visités. Une touche très française imprégnait l'ensemble. Un paquet de Gauloises traînait négligemment sur la table. Pascale en fumait une de temps en temps, pendant que John savourait un cigare.

— Raconte, nous sommes tout ouïe, fit Diana en s'adossant au canapé, une flûte de champagne à la main.

Elle portait un très élégant tailleur-pantalon à la coupe impeccable. Elle avait travaillé dur toute la journée, absorbée par l'organisation d'une nouvelle soirée caritative pour Sloan-Kettering. Eric avait passé les trois dernières nuits à l'hôpital, auprès de ses patientes. Le petit groupe semblait plus calme que d'ordinaire. Tous accusaient la fatigue.

— J'ai trouvé une maison ! annonça Pascale d'un ton triomphant.

Elle se dirigea d'un pas alerte vers le vieux secrétaire patiné que John et elle avaient déniché à Londres des années plus tôt, et revint avec une grosse enveloppe de papier kraft.

— *Voilà !* claironna-t-elle en leur tendant une liasse de photos. C'est exactement ce qu'il nous faut.

Pour une fois, John s'abstint de tout sarcasme. Bien que son prix lui ait donné des sueurs froides, la maison lui plaisait, il était obligé de l'admettre. C'était une vieille demeure pleine de charme, parfaitement entretenue, entourée d'un parc magnifique qui donnait directement sur la plage. Un petit ponton privé servait à amarrer un joli petit voilier, compris dans le prix de la location. C'était un atout non négligeable, surtout pour les passionnés de voile qu'étaient Eric, Robert et Anne. La maison comprenait une belle salle de séjour meublée dans le style provençal, cinq grandes chambres décorées avec goût et une salle à manger suffisamment vaste pour accueillir vingt personnes. Bien que légèrement désuète, la cuisine était d'une propreté immaculée et possédait un charme indéniable. Cerise sur le gâteau, la maison était louée avec une femme de ménage et un jardinier qui semblait disposé à leur servir de chauffeur. Tous convinrent que Pascale avait raison : c'était la maison idéale. Par un heureux hasard, elle s'appelait « Coup de foudre » et était encore libre pour tout le mois d'août ; quoi qu'en dise John, le prix de la location était relativement raisonnable par rapport aux prestations proposées.

Bien sûr, les propriétaires désiraient connaître leur réponse dans les plus brefs délais.

— Elle est superbe, Pascale, déclara Diana en contemplant de nouveau les photos. Et puis, il restera deux chambres d'amis, pour le cas où nous aimerions inviter quelqu'un... peut-être même nos enfants. L'idée d'avoir une femme de ménage à demeure me plaît énormément ! J'aime bien cuisiner, là n'est pas le problème, mais je déteste tout nettoyer après.

— C'est super, n'est-ce pas ? fit Pascale, enchantée de leur réaction. C'est peut-être un peu cher, reprit-elle avec circonspection, mais, divisé par trois, ça devient plus raisonnable.

A ces mots, John leva les yeux au ciel. Il devait pourtant bien admettre que le prix n'était pas exorbitant. Il utiliserait les points qu'il avait accumulés lors de ses déplacements pour le billet d'avion, et si les femmes préparaient à manger à la maison, ils ne seraient pas obligés de sortir tous les soirs dans des restaurants à la mode. Au bout du compte, ce ne seraient pas les vacances ruineuses qu'il avait tant redoutées.

— Tu crois que c'est aussi beau en vrai que sur les photos ? demanda Robert en piochant dans le plateau de canapés.

Les talents de cuisinière de Pascale démentaient formellement toutes les critiques dont l'accablait son époux. Il ne restait plus que quelques bouchées apéritives, et la délicieuse odeur qui flottait dans l'air leur mettait l'eau à la bouche.

La question de Robert parut la surprendre. Etonnamment, John avait eu la même réaction.

— Pourquoi nous mentiraient-ils ? L'agent immobilier qui me l'a trouvée jouit d'une excellente réputation. Mais je peux toujours demander à ma mère d'y faire un saut, si ça peut vous rassurer.

— Grand Dieu, non ! objecta John, horrifié. Ne mêle surtout pas ta mère à ça. Elle serait capable de leur dire que je suis un richissime banquier américain et ils doubleraient le prix...

Les autres ne purent s'empêcher de rire devant sa mine épouvantée.

— Personnellement, tout m'a l'air parfait, déclara Anne, redevenue sérieuse. Je crois que nous devrions prendre une décision avant que quelqu'un d'autre nous dame le pion. Et même si c'est un peu moins bien en réalité que sur les photos, tant pis ! Ce ne sera jamais un calvaire de passer un mois de vacances dans le sud de la France. Nous n'avons qu'à leur faxer notre accord dès ce soir, conclut-elle en gratifiant Pascale d'un sourire reconnaissant. Bravo, Pascale, tu as fait du bon boulot !

Un sourire rayonnant éclaira le visage de la danseuse.

— Merci, mes amis.

Chaque année, elle passait une bonne partie du mois de juin et tout le mois de juillet à Paris, dans sa famille, et elle jubilait à l'idée de rester un mois de plus en France.

— Je suis d'accord avec Anne, renchérit Robert d'un ton décidé. J'avoue que les chambres d'amis sont un sérieux atout à mes yeux. Nos enfants adoreraient passer quelques jours avec nous, si cela ne vous dérange pas.

— Les nôtres aussi, j'en suis sûr, intervint Eric tandis que Diana hochait lentement la tête.

— Je ne sais pas si le mari de Katherine pourra prendre des vacances, mais elle serait ravie de venir avec ses garçons. Quant à Samantha, elle adore la France.

— Moi aussi, confessa Anne dans un sourire. Alors, c'est oui ? Tout le monde est d'accord ?

Ils calculèrent rapidement la part de chaque couple et, bien que John feignît la crise cardiaque quand ils convertirent la somme en dollars, ils convinrent de nouveau, chiffres à l'appui, que c'était un prix tout à fait raisonnable pour une maison aussi luxueuse.

— Marché conclu, déclara Robert, visiblement satisfait.

Il s'arrangerait pour prendre un mois de vacances et se réjouissait à l'idée qu'Anne en fasse autant. Elle semblait très fatiguée depuis quelque temps ; elle avait même reconnu la veille qu'elle travaillait trop. Robert essayait de la convaincre de prendre sa retraite ; n'était-il pas temps pour eux de ralentir un peu le rythme ? Son travail la passionnait, là n'était pas la question, mais il mettait ses nerfs à rude épreuve et ses clients exigeaient d'elle le maximum. Elle travaillait le soir et parfois même le week-end. Robert supportait de plus en plus mal cette situation. Il avait envie de passer davantage de temps avec son épouse.

— Seras-tu capable de t'accorder un mois de répit ? demanda-t-il à Anne lorsque Pascale les pria de passer à table.

Anne acquiesça d'un signe de tête, le regard brillant d'excitation.

— C'est vrai ? Je t'obligerai à tenir ta parole, tu sais, murmura-t-il en la prenant dans ses bras pour l'embrasser.

Comme il avait hâte de passer un mois entier auprès d'elle ! Au cours des deux dernières années, elle avait dû abréger leurs vacances, rappelée par des affaires urgentes.

— Je te promets de prendre tout le mois d'août, dit-elle avec solennité.

— Dans ce cas, ça vaut tout l'or du monde, fit Robert comme ils pénétraient dans la salle à manger, bras dessus, bras dessous.

— Surtout avec un voilier à la clé, murmura Anne.

Elle adorait partir en bateau avec Robert ; les balades en mer leur rappelaient toujours les étés qu'ils avaient passés à Cape Cod au début de leur mariage, quand les enfants étaient encore petits.

La soirée se déroula dans une ambiance rieuse et détendue. Ils parlèrent un peu de leur travail et de leurs enfants, mais la conversation tourna surtout autour de la maison de Saint-Tropez et des vacances idylliques qu'ils y passeraient.

A la fin du dîner, alors qu'ils savouraient tranquillement un verre de château-yquem, un sentiment de plénitude les enveloppa. Ce serait un été inoubliable, aucun d'eux n'en doutait un instant.

— Si les propriétaires me le permettent, je pourrai même descendre quelques jours avant votre arrivée, pour ouvrir la maison et faire quelques courses, proposa Pascale.

Selon le descriptif de la brochure, le linge de maison, draps et serviettes de toilette, ainsi que les appareils ménagers étaient fournis. Eric fit remarquer que le couple de gardiens veillerait probablement à préparer la maison pour leur arrivée. Mais Pascale ne se laissa pas démonter, emportée par son enthousiasme.

— Ça ne me dérange vraiment pas de descendre avant, je vous assure, insista-t-elle sous le regard amusé de son mari.

Il était presque minuit quand ils se séparèrent. Les Smith et les Morrison partagèrent un taxi pour regagner l'est de la ville. Malgré la pluie, leur moral était au beau fixe. Anne s'adossa à la banquette du véhicule, un sourire aux lèvres. Robert la dévisagea d'un air inquiet. Elle semblait épuisée, tout à coup.

— Tout va bien ? demanda-t-il après qu'ils eurent déposé les Morrison.

Elle n'avait presque pas parlé durant le trajet.

— Oui, mon chéri, répondit-elle d'un ton las. J'étais en train de penser aux merveilleuses vacances que nous allons passer en France. J'ai hâte de pouvoir lire, dormir, faire du bateau, nager… tout ça avec toi. J'aimerais simplement que ce soit demain.

— Moi aussi, avoua Robert.

Le taxi les déposa devant leur immeuble de la 89ᵉ Rue Est et ils coururent à l'intérieur pour échapper à la pluie. Une fois dans leur appartement, Robert regarda son épouse ôter son imperméable. Elle était très pâle, tout à coup.

— Je voudrais que tu prennes quelques jours de congé avant cet été. On pourrait se prévoir une petite escapade au soleil, toi et moi… Qu'en dis-tu ?

Robert s'était toujours inquiété pour sa femme. Elle était la personne qu'il aimait le plus au monde, le joyau de son existence — plus encore que leurs enfants.

Pendant chacune de ses grossesses et les rares fois où elle était tombée malade au cours de leurs trente-huit années de vie commune, Robert l'avait entourée d'une attention décuplée. Il possédait une nature généreuse, tendre et affectueuse ; c'était d'ailleurs sa douceur et sa compassion qui avaient séduit Anne, au début de leur histoire. A certains égards, elle se savait plus hardie, plus forte que lui, plus implacable aussi quand il s'agissait de défendre ses enfants ou les droits de ses clients. Mais Robert avait conquis son cœur et, même si elle ne lui confiait pas souvent ses sentiments, elle lui appartenait tout entière, sans faux-semblants. Ils parlaient davantage quand ils étaient plus jeunes, échangeant avec une sincérité touchante leurs rêves, leurs espérances et leurs émotions. Dans leur couple, Robert était le romantique, l'idéaliste qui aimait se représenter l'avenir. De son côté, Anne possédait un sens pratique plus développé qui l'obligeait à vivre au jour le jour, sans songer au lendemain. Les années s'étaient écoulées paisiblement, et ils n'avaient plus besoin désormais d'organiser, de planifier, de projeter. Ils se contentaient d'avancer main dans la main, satisfaits de leur existence, respectueux des leçons qu'ils avaient apprises avec le temps. Ensemble, ils avaient eu à surmonter un unique drame, la mort d'un quatrième bébé, une fille, à la naissance. Submergée par la douleur, Anne avait remonté la pente lentement, grâce au soutien et à l'amour indéfectible de son mari. Au final, c'était Robert qui n'avait pas réussi à faire le deuil de cette petite fille et il lui arrivait encore d'en parler de temps à autre. Anne avait tourné la page sur ce triste épisode, préférant se réjouir de ce qu'elle possédait plutôt que de pleurer ce qu'elle avait perdu. Consciente de l'extrême sensibilité de son mari, elle avait toujours veillé à le préserver des mauvais coups du sort.

— Qu'as-tu envie de faire, demain ? demanda-t-il lorsqu'elle le rejoignit au lit, vêtue d'une chemise de nuit en cotonnade bleue.

Anne n'était pas belle à proprement parler ; c'était une femme pleine de charme, d'une élégance naturelle. Mais, d'une certaine façon, Robert la trouvait encore plus séduisante qu'aux premiers temps de leur histoire. Elle possédait ce genre de physique qui s'épanouit au fil des ans.

— Demain, je veux faire la grasse matinée et lire tranquillement le journal, répondit-elle en étouffant un bâillement.

— Que dirais-tu d'aller au cinéma dans l'après-midi ?

Ils partageaient cette passion tous les deux, privilégiant les films étrangers ou les comédies dramatiques, qui arrachaient souvent des larmes à Robert. Anne l'avait tellement taquiné à ce sujet, quand ils étaient jeunes ! Mais cette sensibilité à fleur de peau l'émouvait profondément.

— Excellente idée, approuva-t-elle.

Ils passaient du bon temps ensemble et partageaient davantage de passions communes qu'avant. C'était comme si leurs goûts avaient fini par se fondre, comme si les années avait gommé leurs différences. L'affectueuse complicité qui les unissait les comblait d'aise.

— Je suis tellement heureuse que Pascale ait trouvé cette maison, murmura Anne en sombrant dans le sommeil, blottie contre son mari. J'ai hâte que l'été arrive.

— Moi, j'ai hâte de t'emmener faire de la voile, fit Robert en resserrant son étreinte.

Il avait eu très envie de lui faire l'amour quand ils s'étaient habillés pour aller chez les Donnally, et une nouvelle bouffée de désir le submergea lorsqu'il la serra contre lui. Mais, par égard pour elle, il se maîtrisa. Anne était épuisée, elle s'investissait trop dans son travail ; il lui en toucherait deux mots le lendemain. C'était la première fois depuis des années qu'il la voyait aussi lasse. Elle s'endormit presque aussitôt dans ses bras. Quelques minutes plus tard, Robert glissa à son tour dans un sommeil réparateur.

Il se réveilla à 4 heures du matin. Enfermée dans la salle de bains, Anne toussait bruyamment, comme si elle était en train de vomir. Un rai de lumière filtrait sous la porte. Robert attendit un peu. Dix minutes s'écoulèrent ; il n'y avait plus aucun bruit dans la salle de bains et Anne demeurait invisible. Saisi d'une sourde angoisse, Robert alla frapper à la porte. Il n'obtint aucune réponse.

— Anne, ça va ?

Un silence pesant suivit ses paroles.

— Anne ? Que se passe-t-il, chérie ? Tu ne te sens pas bien ?

Bien que savoureux, le dîner de Pascale avait été riche et copieux. Il attendit encore quelques instants avant de tourner la poignée de la porte. Jetant un coup d'œil par l'entrebâillement, il retint son souffle. Sa femme gisait sur le carrelage, échevelée, sa chemise de nuit remontée sur les cuisses. Elle avait vomi puis avait perdu connaissance ; son visage avait la couleur de la cendre, ses lèvres étaient presque bleues. Une peur panique s'empara de Robert.

— Oh, mon Dieu… oh, mon Dieu… murmura-t-il en vérifiant son pouls.

Il le sentit battre faiblement, mais ne perçut pas de signes de respiration. Que faire ? Devait-il tenter de la réanimer ou appeler tout de suite les secours ? En pleine confusion, il courut chercher son téléphone portable et regagna aussitôt la salle de bains, où il composa fébrilement le numéro des urgences. Anne était toujours inconsciente. Il l'avait secouée doucement, l'avait appelée à plusieurs reprises, sans succès. Ses lèvres continuaient à bleuir. Une standardiste prit l'appel ; après avoir indiqué son nom et son adresse, il expliqua que sa femme avait perdu connaissance, qu'elle respirait à peine.

— S'est-elle cognée en tombant ? demanda la standardiste d'un ton neutre.

Robert ravala les larmes de peur et d'impuissance qui lui nouaient la gorge.

— Je n'en sais rien… Faites quelque chose… Je vous en prie… Envoyez quelqu'un tout de suite…

Le combiné à la main, il se pencha sur le visage de sa femme. Aucun souffle n'effleura sa joue. Il chercha de nouveau son pouls, ne le trouva pas tout de suite ; finalement, il le sentit battre sous ses doigts, presque imperceptible. Il eut la terrible impression qu'elle était en train de le quitter, et il ne pouvait rien faire, absolument rien, pour la retenir !

— Vite... S'il vous plaît, venez vite... Je crois qu'elle est en train de mourir...

— Une ambulance vient de partir, fit la voix d'un ton rassurant. J'ai besoin de quelques renseignements supplémentaires, s'il vous plaît. Quel âge a votre femme ?

— Soixante et un ans.

— Souffre-t-elle de troubles cardiaques ?

— Non, elle était juste fatiguée, extrêmement fatiguée... Elle travaille beaucoup trop, ces temps-ci...

Sans un mot de plus, il posa le téléphone et commença à lui faire du bouche-à-bouche. Il l'entendit reprendre son souffle, puis elle exhala un soupir... et ensuite, plus rien. Son teint était toujours aussi cendreux. Robert ramassa le téléphone.

— Je ne sais pas ce qui lui est arrivé. Elle s'est peut-être évanouie... Peut-être a-t-elle heurté quelque chose en tombant, je ne sais pas. En tout cas, elle a vomi...

— S'est-elle plainte de douleurs thoraciques avant de vomir ?

— Je ne sais pas... Je dormais. Quand je me suis réveillé, je l'ai entendue tousser, puis vomir... En poussant la porte de la salle de bains, je l'ai trouvée couchée sur le sol, inconsciente.

Une sirène hurla, alors qu'il prononçait ces mots.

— J'entends une ambulance, articula-t-il, effondré. Est-ce la vôtre ?

— Je l'espère. Comment est-elle, maintenant ? Est-ce qu'elle respire ?

— Je n'en suis pas sûr. Son visage est si effrayant ! ajouta-t-il avant de fondre en larmes.

Tandis qu'il luttait contre le désespoir, il entendit le bip de l'interphone et se précipita pour ouvrir la porte du bas. Puis il déverrouilla la porte d'entrée et la laissa grande ouverte, avant d'aller rejoindre Anne. Quelques instants plus tard, l'équipe médicale le rejoignit dans la salle de bains. Les trois hommes l'écartèrent doucement pour s'agenouiller auprès du corps inerte. Ils écoutèrent son cœur, examinèrent ses pupilles. Le chef d'équipe ordonna aux deux autres de l'allonger sur le brancard qu'ils avaient apporté. Robert ne comprit qu'un seul mot de leur conversation : « défibrillateur ». Il eut à peine le temps de passer un manteau par-dessus son pyjama, enfila à la hâte une paire de chaussures, enfouit son portable dans sa poche et attrapa son portefeuille sur la console de l'entrée. Quand il les rejoignit sur le trottoir, hors d'haleine, Anne se trouvait déjà dans l'ambulance, et il s'y engouffra juste avant que la voiture ne démarre, sirène hurlante.

— Que se passe-t-il ? Que lui est-il arrivé ? demanda-t-il d'une voix hachée.

Anne avait eu une crise cardiaque. Pendant que l'un des deux médecins lui expliquait ce qui s'était passé, l'autre déchira la chemise de nuit d'Anne et posa le défibrillateur sur sa poitrine. Le regard de Robert glissa sur ses seins dénudés. L'heure n'était pas à la fausse pudeur. Anne était en train de mourir. Son cœur avait cessé de battre, elle portait un masque à oxygène. Sous le regard horrifié de Robert, son corps se convulsa violemment. Une première fois, puis une autre.

— Oh, mon Dieu... Mon Dieu... Anne... balbutia-t-il en lui prenant la main, les yeux rivés sur le visage de sa femme. Mon amour, je t'en prie... Je t'en prie...

Les battements de son cœur repartirent enfin, mais elle se trouvait encore dans un état de faiblesse extrême. C'était la première fois que Robert se sentait aussi impuissant. Quelques heures plus tôt, ils dînaient chez des amis et, mis à part ses traits tirés, rien n'avait laissé présager la tournure dramatique que prendrait cette soirée. Si seulement il avait pu deviner... Il l'aurait emmenée sur-le-champ aux urgences.

Visiblement satisfaits de l'évolution de la situation, les médecins continuèrent à s'affairer autour d'Anne, pendant que le chauffeur contactait l'hôpital le plus proche. D'une main tremblante, Robert sortit son téléphone portable et composa le numéro d'Eric. Il était 4 h 25 ; Eric décrocha à la deuxième sonnerie.

— Je suis dans une ambulance avec Anne, expliqua Robert d'une voix étranglée. Elle a eu une crise cardiaque... Son cœur s'est arrêté. Ils viennent de la ranimer... Mon Dieu, Eric, si tu la voyais... Elle est toute grise et ses lèvres sont bleues, ajouta-t-il entre deux sanglots.

Eric se leva prestement et alluma la lumière. Diana s'agita légèrement dans le lit. Habituée aux appels de la maternité, elle ne se réveillait plus quand son mari partait en pleine nuit. Cette fois, pourtant, quelque chose dans le ton de sa voix l'alerta. Elle entrouvrit un œil et se redressa péniblement.

— Est-ce qu'elle est consciente ? demanda Eric.

— Non... Je l'ai trouvée par terre, sur le carrelage de la salle de bains... J'ai cru qu'elle s'était cognée... Je ne sais pas... Eric, on dirait qu'elle... qu'elle...

Sa voix se brisa.

— Où l'emmène-t-on ?

— A Lenox Hill.

— J'y serai dans cinq minutes, déclara Eric sans hésiter. Je te retrouve aux urgences ou aux soins intensifs du service de cardiologie. Ne t'inquiète pas, je me renseignerai... Et, Robert, elle va s'en sortir, ne t'en fais pas. Tiens le coup, mon vieux.

— Merci.

Les médecins replacèrent le défibrillateur sur la poitrine d'Anne. Son cœur battait de nouveau. Une équipe du service de cardiologie les attendait sur le trottoir, devant l'hôpital. Ils déplièrent une couverture et sortirent le brancard avec des gestes précis et rapides. Avant même que Robert puisse remercier l'équipe de secours, d'autres infirmiers prenaient le relais. Le brancard fila à la vitesse de l'éclair, et il dut courir pour les rattraper. Ils l'emmenèrent directement aux soins intensifs du service de cardiologie. Robert les regarda s'activer autour du chariot, terrassé par une immense fatigue. Il se tenait là, en pyjama et pardessus, le regard vide, incapable d'abandonner sa tendre Anne à tous ces inconnus qui gravitaient autour d'elle.

Quelques minutes plus tard, un interne vint lui poser quelques questions, puis Eric et Diana surgirent au bout du couloir. Celle-ci avait insisté pour accompagner son mari. Une immense inquiétude se lisait sur leurs traits. Avec beaucoup de calme, Eric posa d'autres questions à son ami, avant de disparaître dans l'unité de soins coronariens. Lorsqu'il reparut, son visage était empreint de gravité.

— Elle est de nouveau en fibrillation. Mais elle lutte de toutes ses forces.

C'était la deuxième fois que le cœur d'Anne s'arrêtait de battre depuis qu'elle était arrivée à l'hôpital. Le cardiologue de garde avait avoué à Eric que ses signes vitaux n'étaient pas rassurants. Ils avaient bien failli la perdre.

— Quand cela s'est-il produit ? demanda Eric en passant un bras autour des épaules de son ami.

De l'autre côté, Diana tenait la main de Robert avec compassion, pendant qu'il pleurait comme un enfant.

— Je ne sais pas… Je me suis réveillé à 4 heures du matin. Je l'ai entendue tousser dans la salle de bains… Il m'a semblé ensuite qu'elle vomissait. J'ai attendu quelques minutes et, comme je n'entendais plus rien, je me suis levé et je… je l'ai trouvée par terre, inconsciente.

Eric fronça les sourcils.

— S'est-elle plainte de douleurs, quand vous êtes rentrés hier soir ?

Au fond, cela n'avait guère d'importance. Brutale, l'attaque l'avait foudroyée avec une violence inouïe. Le cardiologue réservait son diagnostic, ce qui laissait craindre le pire.

— Elle était très fatiguée, mais elle n'avait mal nulle part. Juste avant de s'endormir, elle me parlait encore de nos vacances à Saint-Tropez. Nous avions décidé d'aller au cinéma demain.

Il secoua la tête, trop bouleversé pour parler. Son regard se posa sur Diana, mais elle eut l'impression qu'il ne la voyait pas vraiment.

— Je... Il faudrait que je prévienne les enfants. Mais je ne veux pas leur faire peur...

— Je m'en charge, fit Diana. Tu connais leurs numéros par cœur ?

Elle nota à la hâte les numéros qu'il lui donna d'un ton monocorde, puis s'éloigna pour téléphoner au calme. Elle connaissait suffisamment bien les enfants d'Anne et de Robert pour assumer cette lourde tâche.

— Oh, mon Dieu ! gémit Robert comme Eric le forçait à s'asseoir. Et si...

— Sois patient. Des millions de gens survivent à des attaques comme celle-ci. Reprends-toi, Robert. Tu vas devoir te montrer fort, si tu veux l'aider à s'en sortir.

— J'ai besoin d'elle, tu comprends... Je ne pourrai jamais vivre sans elle.

En son for intérieur, Eric pria pour qu'une telle éventualité ne se produise pas. Hélas, rien n'était moins sûr pour le moment. C'était un choc terrible pour Robert, évidemment. Cela faisait presque quarante ans qu'Anne et lui vivaient un bonheur sans nuage. Comme tous les couples qui résistent à l'épreuve du temps qui passe, ils donnaient parfois l'impression d'être chacun la moitié d'une seule et même personne.

— Attendons qu'on nous donne des nouvelles, fit Eric en tapotant l'épaule de son ami.

Diana les rejoignit. Elle avait appelé leurs trois enfants et tous se mettaient en route sur-le-champ.

Les deux garçons habitaient l'Upper East Side, pas très loin de l'hôpital ; quant à leur fille, Amanda, elle vivait à SoHo, mais elle n'aurait aucun mal à trouver un taxi à cette heure matinale. Il s'était écoulé une heure depuis que Robert avait découvert Anne sur le carrelage de la salle de bains. Une heure qu'il vivait en plein cauchemar…

— Est-ce qu'ils vont m'autoriser à la voir ? demanda-t-il d'une voix à peine audible.

Jamais encore il ne s'était senti aussi faible, aussi désemparé. C'était comme si tout son univers s'effondrait, comme si sa vie lui filait entre les doigts tandis qu'une image le hantait, douloureusement vivace : celle d'Anne allongée sur le carrelage, le visage cireux, les lèvres bleuies.

— Ils t'appelleront dès qu'ils seront prêts, le rassura Eric. Ils sont en train de s'occuper d'elle pour le moment, ta présence les gênerait plus qu'autre chose.

Robert ferma les yeux en hochant la tête. Diana s'assit sur la banquette et reprit sa main. Elle priait de toutes ses forces pour Anne.

— Je veux la voir, déclara soudain Robert avec une détermination qui poussa Eric à prendre les choses en main.

Il pénétra dans la salle de soins intensifs avec l'espoir de glaner des nouvelles sur l'état de son amie. Le spectacle qui l'attendait lui glaça le sang. On l'avait intubée et reliée à un respirateur ; une demi-douzaine de moniteurs bipaient frénétiquement autour d'elle. L'équipe s'agitait dans tous les sens, obéissant promptement aux ordres criés par le chirurgien. D'un simple coup d'œil, Eric sut qu'ils n'autoriseraient pas Robert à venir voir son épouse pour le moment, et c'était sans doute mieux ainsi. Le pauvre se serait effondré.

Quand Eric les rejoignit dans la salle d'attente, les deux fils de Robert étaient près de lui. Amanda arriva quelques minutes plus tard. Tous trois étaient sous le choc ; ils avaient eu leur mère au téléphone ces derniers jours, et elle leur avait paru en pleine forme, toujours aussi prise par son travail, vive et enjouée. Et en l'espace d'une nuit, elle se retrouvait là, entre la vie et la mort, victime d'une crise cardiaque. Complètement déboussolés, hagards, ils attendaient dans le couloir. Un bras passé autour des épaules de Mike, Amanda pleurait à chaudes larmes. Jeff, le fils aîné, avait pris place auprès de son père, tandis que Diana continuait à lui tenir la main. Un terrible sentiment d'impuissance les habitait.

Peu après 7 heures du matin, le cardiologue vint les avertir qu'Anne venait d'avoir une nouvelle attaque, plus importante que la première. Elle n'avait pas repris connaissance. Enfouissant son visage dans ses mains, Robert donna libre cours à son chagrin. Si seulement l'amour qu'il éprouvait pour elle pouvait l'aider à se battre !

Le temps s'étira encore, lugubre. A 8 heures, Diana alla chercher du café pour tout le monde à la cafétéria. Elle était à peine revenue que le cardiologue pénétrait dans la salle d'attente. Une expression d'extrême gravité voilait son visage. En croisant son regard, Eric sut aussitôt ce qu'il venait leur annoncer.

Robert se leva et plongea ses yeux dans ceux du médecin.

— Non, articula-t-il en secouant la tête, devinant lui aussi l'atroce vérité. Non. Ne me dites rien.

Un mélange de terreur, de détermination et de colère se peignit sur ses traits. Son regard papillonnait de-ci, de-là, comme celui d'un fou.

— Je suis désolé, monsieur Smith, commença malgré tout le cardiologue. Votre femme n'a pas survécu au deuxième infarctus. Nous avons fait tout notre possible pour tenter de la sauver. Elle n'a jamais repris connaissance. Je suis sincèrement désolé.

Robert le fixa d'un air hébété, incapable d'articuler la moindre parole. Aussitôt, Amanda se jeta dans ses bras, secouée de sanglots incontrôlables. Aucun d'eux ne paraissait comprendre ce qui venait d'arriver. N'était-ce pas incroyable ? Quelques heures plus tôt, elle plaisantait avec ses amis autour d'un bon dîner et à présent... à présent, elle était morte. Sous le choc, Robert serra sa fille dans ses bras. Par-dessus son épaule, il aperçut Eric et Diana, en pleurs eux aussi, et ses deux fils qui s'étreignaient en sanglotant.

D'une voix douce, le médecin lui suggéra de prendre quelques dispositions. Anne resterait ici pendant qu'il réglerait les détails. Tout à coup, Robert fondit en larmes.

— Q-quel genre de dispositions ? balbutia-t-il d'une voix rauque.

— Des dispositions relatives à l'enterrement, monsieur Smith. Je suis vraiment navré, répéta le médecin, avant de s'éloigner en direction de son bureau où l'attendaient plusieurs infirmières.

Il devait encore rédiger son rapport et remplir plusieurs dossiers avant de quitter le service. Entouré de ses enfants et de ses amis, Robert resta dans la salle d'attente, désorienté. Il était presque 9 heures, un samedi matin, et les visites venaient de commencer.

— Rentrons à la maison, proposa Eric en essuyant ses yeux humides. On sera plus au calme.

Il prit Robert par les épaules et l'entraîna avec lui. Croisant son regard, Diana hocha discrètement la tête avant de tendre la main à Amanda. Robert sortit de la salle d'attente, avec Eric et ses deux fils. Comme dans un brouillard, ils émergèrent sur le trottoir balayé par un vent glacial. D'épais nuages couraient dans le ciel de plomb. Mais Robert ne sentait, n'entendait, ni ne voyait rien. Les traits ravagés par le chagrin, il s'engouffra dans un taxi avec ses enfants. Eric et Diana montèrent dans un autre véhicule. Cinq minutes plus tard, ils étaient tous réunis chez les Morrison.

Diana s'affaira silencieusement à la cuisine, préparant du café et des tartines pendant que le reste du groupe prenait place au salon.

— Je ne comprends pas, murmura Robert lorsqu'elle posa une tasse de café devant lui. Elle allait bien, hier soir. Nous avons passé une soirée merveilleuse et elle parlait encore de la maison que Pascale avait trouvée pour l'été prochain. Elle était impatiente d'y être...

— Quelle maison ? demanda Jeff, son fils aîné.

— Nous avons loué une maison à Saint-Tropez avec tes parents et les Donnally pour le mois d'août, expliqua Eric. Nous avons regardé les photos de la villa hier soir, ta mère était radieuse. Elle semblait un peu plus pâle que d'ordinaire, fatiguée aussi, mais les New-Yorkais ont tous cette mine-là l'hiver. Je n'ai absolument rien remarqué d'anormal, conclut-il, tenaillé par un sentiment de culpabilité.

— Sur le chemin du retour, se souvint Robert, je lui ai demandé si elle se sentait bien. Elle avait l'air épuisée, mais elle s'était beaucoup surmenée ces derniers temps. Elle voulait faire une grasse matinée, ce matin.

Anne était désormais plongée dans un sommeil éternel. Une vague de panique s'abattit sur lui, quand il réalisa qu'il n'avait même pas demandé à la voir. Pour le moment, il s'efforçait tant bien que mal de comprendre le drame qui venait de le frapper. S'il se repassait les images des dizaines, des milliers de fois dans sa tête, peut-être réussirait-il à modifier la fin... Il prêterait davantage attention à la fatigue d'Anne, l'emmènerait aussitôt à l'hôpital et elle serait sauvée... Hélas, cet exercice était aussi vain que douloureux.

Il ne but qu'une gorgée de café et ne toucha pas aux tartines de pain grillé que Diana avait préparées.

— Que devons-nous faire, maintenant ? demanda Amanda en prenant un mouchoir en papier dans la boîte que Diana avait discrètement posée sur la table.

A vingt-cinq ans, Amanda n'avait encore jamais subi un choc aussi violent. Jusque-là, la mort les avait épargnés, elle et les siens. Elle était encore toute petite quand ses grands-parents étaient décédés. Et la disparition d'une mère représente toujours une perte immense.

— Je peux m'occuper de certains détails à votre place, proposa Eric. J'appellerai Frank Campbell tout à l'heure.

Il s'agissait d'une prestigieuse entreprise de pompes funèbres installée à New York depuis des décennies. Ils avaient organisé les enterrements de plusieurs célébrités, telle Judy Garland.

— As-tu une idée de ce que tu vas faire, Robert ? Anne voulait-elle se faire incinérer ?

Ces questions triviales achevèrent de le démolir. Il la voulait vivante, parmi eux... Elle ferait une entrée remarquée et leur demanderait d'un ton rieur ce qu'ils fabriquaient là, à se morfondre bêtement ! Hélas, le destin en avait décidé autrement. Pour son mari et ses enfants, sa disparition était à la fois inadmissible et inconcevable.

— Puis-je faire quelque chose, papa ? proposa Jeff, aussitôt imité par Mike, son cadet.

Tous deux avaient appelé leurs épouses pour leur annoncer la triste nouvelle. Un moment plus tard, Diana s'éclipsa pour avertir Pascale et John. Ce fut Pascale qui décrocha. Quand Diana lui apprit qu'Anne venait de mourir, elle tomba des nues.

— Anne ? Mais elle allait bien, hier soir... s'exclama Pascale, frappée de stupeur. C'est incroyable... Que s'est-il passé ?

Diana lui fit part de ce qu'elle savait. Après avoir raccroché, Pascale alla prévenir John, qui lisait le journal au salon. Elle pleurait à chaudes larmes. Une demi-heure plus tard, ils arrivaient chez les Morrison. En début d'après-midi, Robert regagna son appartement pour se changer. Quand il pénétra dans la salle de bains encore allumée, qu'il vit les serviettes-éponges avec lesquelles il avait tenté de la réchauffer en attendant les secours, il éclata de nouveau en sanglots. Il se jeta sur le lit ; le parfum d'Anne s'échappa de l'oreiller et ses pleurs redoublèrent. La douleur qui lui vrillait le cœur était absolument intolérable.

Eric l'accompagna chez Frank Campbell dans l'après-midi, pour l'aider à accomplir toutes les démarches terriblement éprouvantes qui précèdent un enterrement. Il fallait choisir les fleurs, le cercueil, la pierre tombale. Aveuglé par le désespoir, il opta finalement pour un cercueil en acajou doublé d'un beau drap de velours blanc. Le cauchemar continuait... On lui annonça qu'il pourrait voir sa femme en fin d'après-midi, lorsque son corps serait transféré de l'hôpital. Diana l'accompagna dans cette nouvelle épreuve. Sous le regard bouleversé de celle-ci, Robert serra dans ses bras le corps sans vie de son épouse. Le visage ravagé par les larmes, elle observa la scène en silence. Ce soir-là, il alla dîner chez Jeff avec ses autres enfants. Son fils aîné et son épouse insistèrent pour qu'il passât la nuit chez eux, et il accepta sans se faire prier, redoutant de se retrouver seul. Amanda alla dormir chez Mike et Susan, sa belle-sœur. Tous avaient besoin de soutien et de réconfort dans ce moment douloureux.

Ce soir-là, les Donnally et les Morrison dînèrent ensemble. Ils n'arrivaient toujours pas à croire ce qui s'était passé. La veille encore, Anne se trouvait parmi eux... Vingt-quatre heures plus tard, elle n'était plus de ce monde et Robert n'était plus que l'ombre de lui-même.

— Ca me gêne d'aborder un sujet aussi bassement matériel dans ces circonstances, fit soudain Diana comme ils contemplaient d'un air absent les plats chinois qu'ils avaient commandés. Mais il va bien falloir que nous prenions une décision au sujet de la maison de Saint-Tropez.

— Puisque tu en parles, fit John d'un ton lugubre, je vais te donner mon avis. Le prix de la location est trop élevé pour deux couples. Nous allons devoir renoncer à notre projet, conclut-il fermement.

Pascale lui jeta un regard embarrassé.

— Je crains que ce ne soit trop tard, dit-elle dans un murmure.

— Pourquoi ? Nous ne leur avons pas encore donné notre réponse.

Avant de se séparer la veille au soir, ils étaient convenus qu'Anne enverrait un fax de son bureau, le lundi matin.

— Si, justement, souffla Pascale d'un air penaud.

John posa sur elle un regard interrogateur.

— Que veux-tu dire, au juste ?

— Eh bien... La maison était tellement belle, j'avais peur que quelqu'un nous dame le pion, aussi ai-je demandé à ma mère de verser des arrhes pour la retenir, le jour même où j'ai reçu les documents. J'étais sûre qu'elle plairait à tout le monde, ajouta-t-elle en esquissant une grimace contrite.

— Formidable, grommela John entre ses dents. Ta mère vit à tes crochets depuis des années et, tout à coup, c'est elle qui verse des arrhes pour retenir une maison ? Avant même qu'on en ait discuté entre nous ?

— Je lui ai dit que nous la rembourserions, fit Pascale sur un ton d'excuse.

— Tu n'as qu'à demander le remboursement des arrhes, répliqua John.

— Impossible. Ils me l'ont bien précisé avant que ma mère avance l'argent.

— Nom de Dieu, Pascale, qu'est-ce qui t'a pris de décider pour les autres ? explosa John, tiraillé entre la colère et le chagrin que lui causait la disparition d'Anne. Tu n'as qu'à payer avec ton argent, tant pis pour toi, reprit-il d'un ton amer. Personne n'a plus envie de partir là-bas, maintenant, et Robert n'ira certainement pas sans Anne. Oublie tes vacances à Saint-Tropez, c'est une affaire classée.

— Peut-être pas, intervint Diana. C'est dans six mois et demi. Robert aura sans doute commencé à remonter la pente d'ici là, et cela lui changera peut-être les idées de partir avec nous dans un endroit dépaysant, qui sait ? Pour ma part, je crois que nous devrions maintenir notre décision.

Eric la dévisagea d'un air songeur, avant d'opiner du chef.

— Oui, tu as raison.

Mais John ne l'entendait pas de cette oreille.

— Imaginez qu'il ne veuille pas partir ? Nous serons coincés comme des idiots, obligés de payer une somme astronomique. Il est hors de question que je parte là-bas. Et je ne paierai pas non plus, conclut-il d'un ton buté.

Pascale le foudroya du regard.

— Je paierai, moi, si c'est ça qui te chiffonne. Tu es tellement radin, John Donnally, c'est une excuse toute trouvée pour ne pas mettre la main à la poche. Je paierai notre part et tu n'auras qu'à rester ici...

A moins que tu préfères passer tes vacances chez ta mère, à Boston !

— D'où tiens-tu tes goûts de luxe ? lança-t-il sur un ton qui la blessa profondément.

Comme ses compagnons, Pascale avait les nerfs à vif.

— Si vous voulez mon avis, dit-elle en se ressaisissant, nous avons intérêt à nous serrer les coudes. Robert va avoir besoin de nous, il faut qu'il puisse compter sur tous ses amis.

Les Morrison manifestèrent leur approbation. Seul John campa sur ses positions, comme un enfant boudeur.

— Je ne partirai pas.

— Reste ici, tant pis pour toi. Nous partirons tous les quatre, décréta Pascale en gratifiant Eric et Diana d'un pâle sourire. On t'enverra une carte postale de la Côte d'Azur.

— Tu n'as qu'à emmener ta mère.

— C'est une idée, murmura-t-elle avant de se tourner vers l'autre couple. Alors, c'est décidé. Nous partons à Saint-Tropez en août.

En réalité, c'était bien le dernier de leurs soucis en ces circonstances tragiques, mais le simple fait d'évoquer l'été leur réchauffait un peu le cœur. La disparition de leur amie les affligeait profondément. Toutefois, ils devaient songer à Robert, lui apporter tout le soutien et le réconfort dont il aurait inévitablement besoin. Même si, par certains côtés, ils avaient l'impression de trahir la mémoire d'Anne en partant à Saint-Tropez, ils gardaient en tête l'enthousiasme de cette dernière quand ils avaient regardé les photos, la veille. Au fond, c'était aussi pour elle qu'ils partiraient tous ensemble. Avec Robert, s'il le désirait.

— Nous aurons sans doute du mal à le convaincre de venir avec nous, fit observer Diana, mais nous avons encore le temps. Réservons la maison, nous aviserons en temps voulu.

Les Donnally prirent congé peu après. Ils appelèrent Robert chez son fils dans la soirée, pour lui témoigner leur amitié. Il avait encore des sanglots dans la voix et leur conversation fut brève. Pascale se sentait terriblement désemparée face à sa douleur. N'y avait-il donc rien qu'elle puisse faire pour le soulager ? Elle promit de le retrouver le lendemain aux pompes funèbres pour la mise en bière. L'enterrement aurait lieu le mardi suivant. Robert avait demandé à son fils aîné de prévenir les associés d'Anne. Ses belles-filles avaient appelé des dizaines de personnes pour les avertir, avant la parution de l'annonce nécrologique, le lendemain. Robert avait rédigé lui-même le texte et Mike l'avait déposé au *New York Times* dans l'après-midi.

C'était tout simplement incroyable, songea de nouveau Robert en entrant dans la chambre d'amis qu'Elizabeth avait préparée pour lui. Un poids énorme lui écrasait la poitrine. Bien que son estomac criât famine, il avait été incapable d'avaler une bouchée pendant le dîner. Des larmes perlèrent de nouveau au coin de ses yeux. Allongé sur le lit, fixant le plafond, il se laissa envahir par le souvenir d'Anne, sa tendre épouse, sa compagne depuis

trente-huit ans. Le beau rêve s'était brisé brutalement, il se retrouvait seul à présent. Horriblement
seul.

En cet instant, sans l'ombre d'un doute, Robert
sut que sa vie ne vaudrait plus jamais la peine d'être
vécue.

3

L'enterrement se déroula à l'église Saint James sur Madison Avenue, le mardi après-midi. Robert prit place au premier rang, entouré de ses enfants, de ses belles-filles, de ses cinq petits-enfants et de ses quatre meilleurs amis. L'église accueillait tous ceux qui les connaissaient tous les deux, des collègues d'Anne, des clients, des camarades de classe et des amis de longue date. Terrassé par le chagrin, Robert avait remonté la nef d'un pas lent au bras de sa fille. Ils pleuraient à chaudes larmes, ses trois enfants et lui. Dans le silence de l'église, Pascale sanglotait doucement. John était assis à côté d'elle, stoïque. Des larmes baignaient son visage.

Les Morrison se trouvaient à côté d'eux, au deuxième rang. Les yeux rougis, ils se tenaient la main. Un sentiment d'hébétude enveloppait les deux couples, comme s'ils refusaient encore d'accepter la réalité. Privé d'Anne, le petit cercle d'amis n'avait plus ses repères. Tous perdaient un être cher.

La messe fut brève et émouvante. Quand ils quittèrent l'église pour suivre le cercueil jusqu'au corbillard, il neigeait à gros flocons. L'hiver était particulièrement rigoureux, cette année-là. Robert se rendit au cimetière avec ses enfants. Là, il fit ses adieux à Anne, après que le pasteur eut prononcé une brève oraison. Ce dernier les connaissait depuis qu'ils étaient mariés. Robert resta un long moment devant la tombe de son épouse. Le regard vide, le visage impénétrable, il regagna finalement la voiture d'un pas mécanique.

Les Morrison avaient organisé un buffet chez eux après la messe, conviant quelques-uns des proches d'Anne et de Robert. Ce dernier navigua parmi eux comme un automate et fut le premier à s'éclipser, sans même prévenir ses enfants. John le reconduisit chez lui. Répugnant à l'idée de le laisser seul, il s'attarda un moment.

Robert se laissa tomber lourdement sur le canapé et fixa un point invisible devant lui. Ses larmes s'étaient taries, il paraissait totalement déconnecté de la réalité.

— Veux-tu que je t'apporte quelque chose ? demanda John, regrettant que Pascale ne soit pas là — son épouse gérait beaucoup mieux que lui ce genre de situation.

— Non, merci, répondit Robert d'une voix blanche.

John promena le regard autour de lui, hésitant. Devait-il rester encore un peu ou partir tout de suite ? Devant le mutisme de son ami, John alla chercher un verre d'eau qu'il posa sur la table basse. Il n'obtint aucune réaction. Au bout d'un moment, Robert appuya sa tête contre le dossier et ferma les yeux. Sa voix s'éleva dans le silence pesant, teintée d'un mélange de tristesse et d'effroi.

— Je n'aurais jamais pensé qu'elle partirait avant moi. C'était la plus jeune de nous deux, elle paraissait tellement forte. En vérité, l'idée que je puisse la perdre ne m'avait jamais effleuré.

Depuis quatre jours, toutes les personnes qu'il croisait lui répétaient qu'il ne la perdrait jamais, que son âme resterait présente au fond de lui... Balivernes ! Il l'avait bel et bien perdue, c'était ça, l'atroce réalité ! Une douleur indicible assombrissait son regard quand il souleva les paupières.

— John, qu'est-ce que je vais devenir ?

Jamais il ne pourrait vivre sans elle. Après trente-huit ans de vie commune, Anne était devenue sa moitié, son double, sa raison de vivre. L'âme sœur sans laquelle il dépérirait.

— Essaie de prendre la vie comme elle vient, au jour le jour, répondit John en s'asseyant à côté de lui. C'est tout ce qu'il te reste à faire. Un matin, tu verras, tu te réveilleras et tu te sentiras mieux. Ce ne sera plus la même chose, d'accord, mais la vie continue, Robert. Et puis tu as tes enfants, tes amis. Ça peut te paraître inconcevable pour le moment, mais tu t'en remettras.

Peut-être même se remarierait-il un jour, songea John, en s'abstenant toutefois de formuler son idée à haute voix. Bien que, dans le cas de Robert, cela semblât peu probable. L'amour qu'il portait à Anne était si pur, si absolu, qu'il serait sans doute incapable d'aimer une autre femme. Quoi qu'il en soit, il devait trouver la force d'avancer, il n'avait pas le choix.

— Je devrais peut-être songer à prendre ma retraite, déclara-t-il à brûle-pourpoint. Je ne suis pas en état de retourner travailler.

— Il est encore trop tôt pour prendre ce genre de décision, objecta John. Attends un peu.

Son travail lui serait probablement salvateur. Sans son activité professionnelle, il passerait son temps à ressasser son chagrin, jusqu'à en mourir, qui sait... C'était déjà arrivé à d'autres, John en était conscient, et il s'inquiétait beaucoup pour son ami.

— Il vaudrait mieux que je vende l'appartement. Jamais je ne pourrai vivre ici sans elle.

Ses yeux s'embuèrent de larmes.

— Tu peux toujours venir habiter à la maison, jusqu'à ce que tu y voies un peu plus clair.

A la vérité, Robert ne désirait qu'une chose : rester seul ici, avec les souvenirs d'Anne qui peuplaient chaque pièce. Pascale et Diana avaient déjà proposé à Amanda de l'aider à trier les affaires de sa mère, mais Robert avait refusé qu'elles touchent à quoi que ce soit. Bizarrement, il se sentait rassuré quand il voyait ses vêtements dans la penderie, son peignoir accroché à la porte de la salle de bains, sa brosse à dents dans le gobelet. C'était comme si elle s'était absentée quelques jours, pour assister à une conférence, par exemple. Elle rentrerait bientôt. Mais, un jour ou l'autre, il lui faudrait bien affronter la cruelle réalité : Anne ne reviendrait pas.

Ils restèrent un long moment silencieux, assis côte à côte sur le canapé. L'obscurité finit par envahir la pièce et Robert s'endormit. John alla s'installer dans le bureau, où il feuilleta quelques livres. Il hésitait encore à le laisser seul. A 18 heures, il appela Pascale.

— Comment va-t-il ? demanda-t-elle d'un ton anxieux.

Tout le monde était inquiet pour Robert.

— Il dort, pour le moment. Il est épuisé, aussi bien physiquement que moralement. Que dois-je faire, à ton avis ? Partir ou rester ?

— Reste avec lui, répondit Pascale sans hésiter. Passe la nuit là-bas. Et surtout, ne le réveille pas. Veux-tu que je vous apporte quelque chose à manger ?

— Oh, je vais bien trouver quelque chose dans le frigo…

— Non, je vais préparer des sandwichs et de la soupe. A tout à l'heure.

Pour une fois, John ne la taquina pas sur ses talents de cuisinière. Au contraire, il lui était profondément reconnaissant. La disparition brutale de leur amie avait agi comme une sonnette d'alarme, rappelant à chacun d'eux à quel point la vie était précieuse et combien ils tenaient à leur conjoint.

— A tout à l'heure, chérie, murmura-t-il avant de raccrocher.

Robert venait à peine de se réveiller quand Pascale arriva, une baguette sous le bras et un sac en papier à la main. Il semblait encore désorienté, mais sa longue sieste lui avait fait du bien. Il n'avait pas passé une vraie nuit de sommeil depuis vendredi. En découvrant les sandwichs et la soupe que Pascale avait disposés sur la table de la cuisine, il secoua la tête d'un air désolé. Il se sentait incapable d'avaler quoi que ce soit. Pascale l'examina à la dérobée. Il avait déjà perdu du poids et semblait extrêmement fragile.

— Tu dois manger un peu, Robert, insista-t-elle avec douceur. Pense à tes enfants, ils ont encore besoin de toi, eux. Et nous aussi. Il ne s'agirait pas de tomber malade.

— Qu'est-ce que ça changerait ? fit-il en haussant les épaules.

— Beaucoup de choses, figure-toi. Je t'en prie, fais un effort et prends un peu de soupe.

Elle lui parlait comme à un enfant et Robert finit par obéir. Il mangea la moitié de son bol de soupe et ne toucha pas aux sandwichs, mais c'était déjà une petite victoire, aux yeux de Pascale. Désirait-il que John passe la nuit ici ? demanda-t-elle en l'enveloppant d'un regard plein de compassion.

— Non, ce n'est pas la peine. Rentrez chez vous et dormez sans inquiétude. Je vais bien.

Qui donc aurait pu le croire en voyant sa mine blafarde et ses yeux rougis par les larmes ? Mais c'était courageux de sa part d'essayer de reprendre le dessus.

A 22 heures, les Donnally rentrèrent chez eux en taxi. Ils étaient au bord de l'épuisement.

— Je me fais du souci pour lui, tu sais, confessa Pascale pendant le trajet. Imagine qu'il décide de se laisser mourir. Ça arrive, tu sais.

— Pas lui, répondit John d'un ton qu'il voulut convaincant. Non, ce n'est pas son genre. Il finira par remonter la pente, peut-être pas complètement, mais suffisamment pour vivre au ralenti. J'ai bien peur qu'il ne faille pas en espérer davantage, conclut-il tristement.

— Eh bien, moi, je n'en suis pas si sûre, murmura Pascale en essuyant les larmes qui roulaient sur ses joues.

Submergée par une vague de désespoir, elle se blottit contre son mari. Le destin se montrait parfois cruel, frappant sans crier gare, détruisant des vies à l'aveuglette. Face à ce genre de tragédie, on prenait soudain conscience de la fugacité des choses. La vie ne tenait qu'à un fil, il était bon de s'en souvenir.

Pascale et John, Eric et Diana, tous appelèrent Robert au moins une fois chaque jour, mais il s'écoula trois semaines avant qu'ils le revoient. Incapable de rester seul dans l'appartement vide, il passa les deux premières semaines chez son fils aîné. Son emploi du temps tournait autour de ses enfants, et il resta un mois entier sans travailler. Ce fut précisément lorsqu'il retourna au tribunal qu'il revit ses amis. La même semaine, il regagna son domicile. Cela faisait un mois qu'Anne les avait quittés.

Ses amis furent frappés de stupeur en le revoyant. Il avait beaucoup maigri et des cernes sombres soulignaient ses yeux rougis. Pascale le serra dans ses bras, ravalant à grand-peine les larmes qui lui nouaient la gorge. Inévitablement, l'image d'Anne s'imposa à eux, et ils manifestèrent à Robert toute leur compassion.

— Alors, les amis, que devenez-vous ? demanda Robert en feignant de s'intéresser à leurs réponses, alors que son regard restait désespérément vide.

Malgré le chagrin qui continuait à le tarauder, il était heureux de revoir ses amis. Leur sollicitude et leur affection lui réchauffèrent le cœur. A la fin de la soirée, il se surprit même à sourire aux blagues grivoises de John et aux sempiternels reproches dont il accablait Pascale. Les deux couples lui parurent plus doux, plus tendres les uns envers les autres, comme si la disparition d'Anne leur avait donné une leçon de vie.

— J'ai reçu d'autres photos de la maison de Saint-Tropez, déclara Pascale comme ils prenaient le café après le repas.

Elle désirait juste tâter le terrain, consciente qu'il était trop tôt pour aborder le sujet avec Robert. Cinq mois et demi les séparaient encore de leur séjour en France ; ce dernier avait encore beaucoup de chemin à faire pour surmonter sa peine.

Elle parla encore de la maison d'un ton anodin, jusqu'à ce que Robert pose sur elle un regard empreint d'une tristesse insondable.

— Je ne pars pas avec vous, dit-il simplement.

Ces vacances lui rappelleraient trop l'enthousiasme avec lequel Anne avait appuyé l'idée, sa hâte de couler des jours paisibles avec lui, sous le soleil de Saint-Tropez, et aussi leur précédent séjour dans la région.

— Tu n'es pas obligé de prendre une décision tout de suite, intervint Diana avec douceur.

Elle chercha le regard d'Eric, qui prit à son tour la parole.

— Si tu ne viens pas, John va nous rendre la vie impossible, argua-t-il d'un ton narquois. Il est bien trop radin pour accepter de payer la moitié de la location. Je t'en prie, Robert, fais un effort pour tes pauvres amis !

Robert esquissa un pâle sourire.

— Diana pourrait peut-être organiser une tombola pour payer vos vacances, suggéra-t-il avec humour.

— Quelle bonne idée ! s'exclama John, provoquant des rires amusés. Ta mère pourrait même venir nous donner un coup de main, ajouta-t-il à l'adresse de Pascale, qui le foudroya du regard.

C'était la première fois en un mois qu'ils recommençaient à plaisanter tous ensemble.

— Ceci dit, reprit Robert plus sérieusement, je suis tout à fait prêt à honorer mes engagements. Après tout, c'est Anne qui vous a vendu l'idée. Je veux bien payer notre part. Mais je ne viendrai pas avec vous, que ceci soit clair.

— Arrête tes bêtises, Robert, protesta Diana.

— Personnellement, je trouve ça très sympa de ta part, intervint Pascale tandis que trois regards mi-interdits, mi-réprobateurs se fixaient sur elle. Je suis sûre qu'Anne aurait réagi ainsi, elle aussi.

Robert hocha tristement la tête. Cela lui paraissait tout à fait normal de participer financièrement au projet qu'ils avaient mis sur pied ensemble.

— Dis-moi combien je vous dois et je t'enverrai un chèque.

La conversation roula ensuite sur d'autres sujets. Quand tout le monde fut parti, John considéra sa femme d'un air contrarié.

— Tu ne trouves pas ça grossier de réclamer une participation à John, alors qu'il ne vient même pas avec nous ? Tu te plains toujours de mon avarice mais, en l'occurrence, ta mesquinerie me dépasse. C'est typiquement français, ce genre d'attitude.

Pascale continua à débarrasser la table, imperturbable.

— S'il paie sa part, il viendra, même s'il ne le sait pas encore, assura-t-elle simplement.

John ne put s'empêcher de sourire. Décidément, il avait une femme très intelligente !

— Tu le penses vraiment ?

— N'est-ce pas ce que tu ferais, à sa place ?

— Moi ? fit John en laissant échapper un petit rire d'autodérision. Mince alors, si je mettais la main à la poche, j'en voudrais pour mon argent, c'est sûr ! Le problème, c'est que Robert possède une âme beaucoup plus noble que moi... Si tu veux mon avis, il ne viendra pas.

— Eh bien, moi, je pense le contraire. Et ça lui fera un bien fou, tu verras, conclut-elle avec assurance.

— S'il vient, j'espère qu'il n'invitera pas ses enfants. Ses petits-enfants font un raffut d'enfer et Susan a le don de m'agacer.

La jeune femme irritait aussi Pascale, qui avait également du mal à supporter l'autre belle-fille de Robert. Amanda et les petits étaient un peu trop agités à son goût mais, pour l'heure, c'était bien le cadet de ses soucis.

— Ça ne fait rien, dit-elle d'un ton indulgent. L'essentiel, c'est qu'il se décide à venir.

John couva son épouse d'un regard plein de tendresse.

— Tu sais, je suis heureux que tu aies insisté. Sur le coup, quand tu lui as dit que ce serait bien qu'il participe lui aussi, j'ai failli m'étrangler avec mon café. J'ai même craint un instant d'avoir déteint sur toi au fil des années. Ça fait si longtemps que tu me supportes, ajouta-t-il avec un sourire contrit.

— Pas assez longtemps à mon goût, susurra Pascale en se penchant pour capturer ses lèvres.

Depuis la mort de leur amie, ils s'étaient rapprochés l'un de l'autre, conscients de leur bonheur. Malgré leurs différences, ils s'aimaient et montraient davantage leurs sentiments. La vie était courte, et parfois d'une exquise douceur.

4

Au cours des trois mois qui suivirent, les Donnally et les Morrison invitèrent Robert à dîner une fois par semaine, et continuèrent à l'appeler tous les jours pendant quelque temps. Il allait mieux, bien qu'encore très affecté. Et il ne pouvait s'empêcher de parler d'Anne, quand ils se réunissaient. Mais il puisait désormais dans des souvenirs plus amusants, plus légers, et, même s'il lui arrivait encore de pleurer quand il évoquait son souvenir, il avait retrouvé son sourire.

Il s'était jeté à corps perdu dans son travail. Il songeait encore à se séparer de son appartement, mais n'avait toujours pas touché aux affaires d'Anne. Quand Pascale et John passèrent le chercher un soir, ils virent avec stupeur le peignoir de leur amie dans la salle de bains, sa brosse à cheveux sur la coiffeuse, ses manteaux et ses chaussures dans le placard de l'entrée. Heureusement, Robert n'avait pas une minute à lui, partagé entre son travail, ses enfants et ses amis. C'était plutôt bon signe.

Ils continuaient à évoquer à dessein leurs vacances en France, le pressant de venir avec eux. Comme convenu, Robert avait payé sa part de la maison, mais il refusait toujours de les accompagner, prétextant un surcroît de travail. Quatre mois s'étaient écoulés depuis la mort d'Anne. Il s'était occupé des biens de son épouse et avait même créé une association caritative à son nom, destinée à rassembler des fonds pour les causes qui lui tenaient tant à cœur, principalement les femmes et les enfants maltraités. Il leur raconta ses démarches avec entrain. Pour toutes ces raisons, il préférait passer l'été à New York.

— C'est pas terrible, New York en été, fit observer Eric alors que lui-même avait avoué qu'il serait probablement dans l'obligation d'écourter ses vacances.

Le cabinet ne désemplissait pas ; pour couronner le tout, l'un de ses associés était malade depuis plusieurs mois. Diana n'avait pas très bien pris la nouvelle ; en tout état de cause, elle avait décidé de rester en France avec John et Pascale, si Eric rentrait plus tôt.

— Ce sera plutôt triste, si nous ne sommes plus que tous les trois, remarqua-t-elle sombrement.

Au cours du mois passé, Pascale l'avait trouvée particulièrement stressée, mais elle savait que Diana préparait une grande réception pour le compte de Sloan-Kettering et qu'elle y consacrait toutes ses soirées et une partie de ses week-ends.

— Robert, je crois que tu devrais vraiment venir avec nous, insista-t-elle. Anne aurait voulu que tu profites de tes vacances, et puis tu peux inviter tes enfants.

— On verra, dit-il simplement.

C'était le premier signe d'espoir qu'il leur donnait.

— Vous croyez qu'il viendra ? demanda Pascale à la cantonade après le départ de leur ami.

Une longue journée l'attendait au tribunal, le lendemain, et il préférait se coucher tôt pour se lever frais et dispos. D'un ton amusé, il leur avait confié qu'Amanda l'avait invité à une grande soirée caritative, l'avant-première d'une grosse production hollywoodienne. Ayant rompu récemment avec son dernier petit ami, elle n'avait aucun cavalier pour l'accompagner. Ses amis l'avaient taquiné. Ainsi, il allait côtoyer du beau monde au bras de sa fille... Mais Robert avait accepté l'invitation sans entrain, bien qu'il ait entendu d'excellentes critiques du film présenté.

— Alors, comment s'est passée ta soirée hollywoodienne ? lui demanda Eric quand ils se revirent la semaine suivante.

Ce dernier semblait très en forme, heureux et détendu, malgré ses longues journées de travail et les nuits blanches qu'il enchaînait à la place de son associé malade. Diana, elle, paraissait extrêmement lasse ; elle avait perdu du poids et était moins volubile que d'habitude. Pascale s'inquiétait pour elle. L'état de santé des uns et des autres les préoccupait davantage depuis la mort soudaine d'Anne. De son côté, Robert semblait aller beaucoup mieux.

— C'était intéressant, répondit-il en souriant. Il y avait au moins cinq cents invités, et la réception qui a suivi la projection était assez incroyable. Mais Amanda s'est bien amusée. Elle a rencontré quelques acteurs du film, je crois même qu'elle connaissait l'un des producteurs... Et puis, un beau garçon en smoking — sans cravate, précisa-t-il avec humour — l'a invitée à prendre un verre. Si vous voulez mon avis, je serai bientôt dispensé de mes fonctions de cavalier.

Pourtant, le père et la fille avaient déjà prévu une autre soirée, et Pascale ne put s'empêcher de sourire en l'entendant parler de cette nouvelle sortie. Apparemment, Amanda faisait tout pour essayer de distraire son père, ce qui lui donna une autre idée.

Dès le lendemain, elle appela la jeune femme et lui proposa de venir passer ses vacances à Saint-Tropez avec Robert.

— Ça lui ferait le plus grand bien, conclut Pascale avec entrain.

Amanda hésita.

— Sans doute, oui, concéda-t-elle finalement. Je le trouve en meilleure forme, mais il n'arrive toujours pas à dormir. A ma grande surprise, il a beaucoup apprécié l'avant-première à laquelle je l'ai traîné la semaine dernière, ajouta Amanda. Il ne l'avouera pas, mais je suis sûre qu'il s'est bien amusé. J'ai même perdu sa trace pendant près d'une heure. Il n'a eu aucun mal à se mettre dans l'ambiance.

— Tant mieux. Réfléchis à ma proposition, Amanda. Pense à ton père, ce séjour lui serait bénéfique.

— C'est sûr, fit la jeune femme en riant. A moi aussi, par la même occasion. Papa m'a dit qu'il y avait un bateau à disposition. Les photos sont magnifiques, paraît-il. J'aimerais beaucoup venir, vraiment.

— Il y a largement la place pour toi et ta présence nous ferait très plaisir, déclara Pascale avec sincérité.

Amanda promit d'y songer sérieusement. Mais, la semaine suivante, Robert annula le dîner qu'ils étaient censés partager tous ensemble, prétextant une charge de travail inopinée. Eric fut appelé à l'hôpital dans la soirée et mit au monde trois bébés d'affilée. Quant à Pascale, elle était clouée au lit par une mauvaise grippe.

Elle se sentait encore faible, quand Diana l'appela le lendemain. Elle avait une nouvelle stupéfiante à lui annoncer, déclara-t-elle d'une voix vibrante d'excitation.

— Tu es enceinte ! s'écria Pascale avec envie.

Diana éclata de rire.

— J'espère bien que non. Si c'était le cas, je me poserais de sérieuses questions sur le traitement hormonal que je suis depuis deux ans ! Non, Pascale, j'ai passé l'âge d'être enceinte, mais c'est tout aussi invraisemblable que ça. Après que tu as annulé le dîner et qu'Eric est parti à l'hôpital hier soir, je suis allée au restaurant avec Samantha. D'un commun accord, nous avons choisi le Mezza Luna. Mais on a vite changé d'avis, crois-moi... Tu ne devineras jamais qui nous avons aperçu là-bas !

— Je ne sais pas... Tom Cruise, et il t'a invitée à prendre un verre.

— Tu brûles. Robert. En train de dîner avec une femme. Il était tout sourire et bavardait joyeusement. C'est Samantha qui a reconnu sa compagne. Tu ne vas pas le croire. C'était Gwen Thomas !

Pascale retint son souffle.

— L'actrice ? Tu es sûre ?

— Non, mais elle lui ressemblait drôlement. Samantha en mettrait sa main au feu.

Lumineuse et séduisante, la jeune actrice avait paru totalement captivée par Robert. Quant à lui, il avait semblé heureux et serein.

— Comment l'a-t-il rencontrée, à ton avis ?

Il ne leur avait jamais parlé d'elle. Tout comme il s'était gardé de leur dire qu'il dînait parfois en charmante compagnie. A moins que ce ne fût la première fois...

— Ce n'est pas elle qui tient le premier rôle dans le film qu'il a vu avec Amanda la semaine dernière ?

— Si, bien sûr... Si, je crois que c'est elle, murmura Pascale en s'adossant à ses oreillers, le regard perdu dans le vide. Seigneur, j'espère qu'il ne commettra pas la bêtise de sortir avec des starlettes ou des top models... Il est encore tellement vulnérable, et si naïf à certains égards. Il a passé toute sa vie auprès d'Anne, tu comprends, il ne connaît rien au monde de requins dans lequel nous vivons. Anne disait toujours qu'elle était sans doute son premier flirt. Il n'a aucune expérience en matière de séduction !

Comme le reste d'entre eux, d'ailleurs. Ils étaient mariés depuis tant d'années !

— Tu as raison, approuva Diana.

En son for intérieur, elle se promit d'essayer de protéger son ami ; Anne l'aurait voulu ainsi. Elle avait encore un mal fou à imaginer Robert avec une autre femme.

— Quel âge a-t-elle ? demanda Pascale d'un ton inquiet.

Gwen Thomas était une jeune femme superbe. Au sommet de sa gloire, elle avait remporté un oscar, l'année précédente.

— Elle doit approcher la quarantaine. Mais elle ne les fait pas, crois-moi. On jurerait qu'elle a le même âge que Samantha.

— C'est complètement ridicule. Franchement, je ne comprends pas Robert. Avaient-ils l'air amoureux, tous les deux ?

— Non, répondit Diana avec sincérité. Ils ressemblaient à deux amis, rien de plus.

Elles devisèrent pendant plus d'une heure, discutant des écueils et des pièges que Robert devrait absolument éviter avec les femmes, même s'il n'en était pas encore conscient. Les deux amies se promirent de le mettre en garde, dès que l'occasion se présenterait. Il paraissait urgent de l'emmener se changer les idées à Saint-Tropez.

— Est-ce qu'Amanda sait qu'il a dîné avec elle ? fit Diana d'un ton perplexe. Elle ignore peut-être qu'ils se connaissent.

— Elle m'a dit qu'elle l'avait perdu de vue un bon moment, au cours de la soirée, expliqua Pascale. J'inviterai Robert à dîner la semaine prochaine ; on verra bien s'il parle d'elle. Il t'a vue ?

— Non. J'étais tellement sidérée que nous sommes parties comme des voleuses. Je ne voulais surtout pas le déranger, tu comprends. Dans un sens, je trouve ça plutôt rassurant qu'il recommence à sortir. Mais je ne veux pas qu'il souffre à cause d'une jeune écervelée.

— Je suis entièrement d'accord avec toi, déclara Pascale. S'il se sent prêt, on peut lui présenter des dizaines de femmes tout à fait convenables. Pour être franche, je ne pensais pas qu'il reprendrait si vite le dessus.

Au grand soulagement de Pascale, Robert accepta son invitation à dîner pour la semaine suivante. Elle l'appela au tribunal pour fixer la date et ils parlèrent un moment de choses et d'autres.

Au cours du dîner, Robert créa la surprise générale en racontant qu'il avait fait la connaissance de Gwen Thomas.

John haussa les sourcils.

— Qui est-ce ?

Diana et Pascale observèrent Robert à la dérobade, mais son visage n'exprimait aucune émotion.

— Tu ne connais pas Gwen Thomas ? s'écria Pascale en gratifiant son époux d'un regard dédaigneux. C'est une actrice ; elle a gagné un oscar l'année dernière. Je n'arrive pas à croire que tu n'aies jamais entendu parler d'elle ! C'est une très belle femme, ajouta-t-elle en se tournant vers Robert. Comment l'as-tu rencontrée ?

— A l'avant-première du film que j'ai vu avec Amanda.

Diana et Pascale échangèrent un regard complice. Ainsi, leurs soupçons se confirmaient.

— C'est une jeune femme brillante et très cultivée. Elle a vécu longtemps en Angleterre où elle jouait du Shakespeare. Ensuite, elle a travaillé sur Broadway, avant de se tourner vers le cinéma. Elle a beaucoup d'allure et elle est pleine de vie.

Diana fronça les sourcils, en proie à un étrange pressentiment. Les pupilles de Pascale se rétrécirent, comme de terribles soupçons germaient dans son esprit.

— Tu as l'air de bien la connaître, fit-elle remarquer d'un ton faussement dégagé.

John lui lança un regard d'avertissement.

— Comment est-elle, je veux dire physiquement ? demanda-t-il, piqué dans sa curiosité d'homme.

Lui aussi se posait des questions : quelle place occupait cette femme dans la vie de Robert ? Avaient-ils couché ensemble ?

— Elle est très séduisante, répondit Robert d'un ton neutre. Elle a de magnifiques cheveux roux. Et elle est divorcée.

Pascale déglutit péniblement.

— Quel âge a-t-elle ? demanda Diana.

— Quarante et un ans, fit Robert en reprenant sa fourchette. Elle vient de s'installer à New York, après un long séjour en Californie. Elle se sent un peu seule ici, elle ne connaît pas grand monde.

— Tu as l'intention de la revoir ? voulut savoir Pascale.

Robert haussa les épaules.

— Je ne sais pas. Nous sommes très pris, tous les deux. Elle tourne un nouveau film en septembre et elle a prévu de passer l'été avec des amis. Je crois qu'elle aurait plu à Anne, conclut-il en esquissant un sourire empreint de nostalgie.

Diana inspira longuement avant de prendre la parole.

— Robert, commença-t-elle en choisissant ses mots avec soin, promets-nous de faire attention à toi. Certaines femmes ont l'art et la manière d'attirer les hommes dans leurs filets pour n'en faire qu'une bouchée. Tu ne connais rien de l'impitoyable manège des rendez-vous galants, conclut-elle sur un ton fraternel.

Un sourire incrédule joua sur les lèvres de Robert.

— De quoi parles-tu, Diana ? Gwen est une amie, rien de plus.

Le sujet fut clos et on passa à autre chose. Mais quand ils se séparèrent après le repas, Eric ne se gêna pas pour rabrouer Diana.

— Ta remarque était complètement déplacée, dit-il d'un ton réprobateur. Robert est un grand garçon, il fait ce qu'il veut. S'il sort avec une vedette de cinéma, tant mieux pour lui ! ajouta-t-il, mi-amusé, mi-admiratif.

Diana ne désarma pas.

— Il ne sait pas où il est en est. Cette fille est peut-être un requin de la pire espèce. Il ne nous a même pas dit si elle avait des enfants.

— Qu'est-ce que cela changerait ?

— Au moins, ça voudrait dire qu'elle est équilibrée et responsable.

— Pascale n'a pas d'enfants, elle n'en demeure pas moins une femme formidable. C'est ridicule, enfin, Diana. Beaucoup de femmes « responsables » n'ont pas d'enfants.

— C'est différent pour Pascale, tu le sais bien. Désolée, je ne peux pas m'empêcher de me faire du souci pour Robert.

— Moi aussi, figure-toi. Mais s'il se remet à sortir, c'est signe qu'il reprend goût à la vie et, personnellement, je trouve ça plutôt positif. Vous feriez mieux de vous mêler de vos affaires, ta copine Pascale et toi. Laissez-le tranquille, bon sang !

— Nous ne voulons que son bonheur, déclara Diana d'un air buté.

— Enfin, Diana, c'est la meilleure chose qui puisse lui arriver ! Cette fille est peut-être adorable, tu ne la connais pas, après tout.

— Eric, cette « fille » comme tu dis est une star de cinéma ! Excuse-moi, mais j'ai du mal à croire qu'il existe des gens « adorables » dans ce milieu-là !

— Un point pour toi, je te l'accorde. Mais, au moins, il prendra un peu de bon temps, conclut-il tandis qu'une lueur espiègle brillait dans ses yeux.

Profondément contrariée, Diana alla se réfugier dans la salle de bains. Cette solidarité masculine aveugle et indéfectible l'écœurait ! Peu importait que cette fille fût une garce, si Robert « prenait du bon temps »... C'était tout simplement révoltant !

Au même moment, dans leur appartement du West Side, John et Pascale tenaient à peu près le même discours enflammé.

— Enfin, John, ouvre les yeux ! s'écria Pascale, ulcérée. Imagine que cette fille lui brise le cœur ou même qu'elle le manipule... ?

John poussa un soupir agacé.

— Désolé, mais je ne vois pas ce qu'il y a de désagréable à se faire « manipuler » par une séduisante actrice de cinéma... Il y a des sorts bien plus cruels, crois-moi.

— Arrête tes bêtises ! Robert a le cœur sur la main, il est sensible, doux, généreux... et très naïf !

— Qui te dit qu'elle n'est pas aussi naïve que lui ?

— *Mon œil, oui !* répliqua Pascale dans sa langue maternelle. Tu as trop bu... A moins que tu sois jaloux de lui...

— Pour l'amour du ciel, Pascale ! Robert a vécu un drame terrible ; il a bien le droit de s'amuser un peu.

Pascale le gratifia d'un regard meurtrier.

— Pas avec une harpie.

— Lâche-lui un peu les baskets, tu veux ? D'abord, qui te dit qu'il va la revoir ? Franchement, tu crois qu'une star de Hollywood va s'enticher d'un juge de soixante-trois ans ? Il a dit qu'ils étaient amis, bon sang, rien de plus !

— Il faut absolument l'éloigner de New York, décréta Pascale. Il faut le convaincre de venir avec nous à Saint-Tropez.

John laissa échapper un rire taquin.

— Qui sait, peut-être qu'il l'invitera à se joindre à nous...

— Il devra d'abord nous éliminer, Diana et moi, déclara son épouse avec emphase.

John se mit au lit en riant de plus belle.

— Attention, Robert, la police des mœurs et de la vertu est à tes trousses ! Pauvre de lui, j'espère sincèrement qu'il n'aura pas la mauvaise idée de se joindre à nous.

Pascale leva sur son mari un regard implorant.

— Je t'en prie, John, il faut le convaincre de venir, au contraire ! Par respect pour Anne, nous devons tout faire pour le protéger de cette fille.

— Rassure-toi, si ce n'est pas elle, c'en sera une autre, répliqua John, ironique. Je l'espère pour lui, en tout cas. Veux-tu que je dégote une poupée vaudoue pour le protéger à distance ? Je peux me débrouiller pour trouver quelque chose d'efficace...

— D'accord, fit Pascale avec le plus grand sérieux. Tous les moyens seront bons pour y arriver.

Une expression déterminée se lisait sur son visage. Secoué d'un fou rire irrépressible, John l'enlaça. Apparemment, son épouse se sentait investie d'une mission sacrée... et il trouvait cela immensément drôle !

5

En juin, juste avant le départ de Pascale, les Morrison et les Donnally dînèrent avec Robert au restaurant de l'hôtel Four Seasons. Ils abordèrent différents sujets, avant de parler de la maison de Saint-Tropez. Robert réaffirma son désir de passer l'été à New York, ce à quoi John lui fit remarquer qu'ayant payé le tiers du loyer il ferait tout aussi bien de venir avec eux.

— C'était juste pour honorer l'engagement que nous avions pris, Anne et moi, répondit-il avec de la tristesse dans la voix. Elle avait tellement envie de partir là-bas... Ça lui aurait fait un bien fou.

— A toi aussi, insista John. Pour être franc, je n'avais plus envie de partir moi non plus, mais c'était avant de découvrir que ma chère femme avait déjà versé des arrhes... sans me demander mon avis, bien entendu ! Après tout qu'importe, ajouta-t-il avec un sourire résigné. Ce sera sympa, c'est l'essentiel. Mais ce serait encore mieux si tu venais avec nous. Je suis sûr qu'Anne aurait voulu que tu partes.

Robert parut réfléchir.

— C'est possible, concéda-t-il finalement. Amanda pourrait passer quelques jours avec nous, elle s'amuserait énormément, c'est sûr. Et puis, je ne suis pas non plus obligé de rester le mois entier.

— Jeff et Mike pourraient venir à tour de rôle, eux aussi. La maison est immense, tu sais. Je crois que Katherine et son mari passeront également un moment avec nous, ajouta Diana.

Pascale et John échangèrent un regard discret. Ce dernier n'était pas enthousiaste à l'idée de recevoir les enfants de ses amis, mais l'œillade noire de Pascale le dissuada de manifester sa réticence.

— Jeff et Mike passent l'été à Shelter Island, répondit Robert. Mais Amanda serait sûrement partante ; j'arriverais peut-être à me détendre un peu, si elle acceptait de venir avec moi.

— Même si elle ne venait pas, ça te ferait le plus grand bien, insista Diana.

Ce soir-là encore, Pascale remarqua les traits tirés de son amie, son air vaguement soucieux. Eric, lui, débordait d'entrain. Depuis le début du dîner, il se montrait extrêmement prévenant à l'égard de son épouse, qui recevait ses attentions avec une froideur tout à fait inhabituelle.

— Je vous ferai part de ma décision d'ici à quelques jours, conclut Robert pour le plus grand bonheur de ses amis.

Il appela Pascale juste avant son départ. Amanda avait dit oui ; elle passerait cinq jours avec eux. De son côté, rien n'était encore fixé, mais il envisageait déjà de séjourner deux semaines à Saint-Tropez.

— Tu pourras rester aussi longtemps que tu voudras ! s'écria Pascale, ravie. C'est aussi ta maison, ne l'oublie pas.

— Je verrai, fit-il d'un ton laconique, avant d'ajouter : Il est possible que j'invite une de mes connaissances.

Un long silence suivit ces paroles.

— Une connaissance ? répéta finalement Pascale, interloquée.

— Oui, mais rien n'est encore sûr. De toute façon, je vous préviendrai à temps.

Dévorée de curiosité, Pascale s'abstint néanmoins de lui demander l'identité de cette mystérieuse « connaissance ». Etait-ce un homme ou une femme ? Il ne pouvait s'agir de Gwen Thomas, il venait à peine de la rencontrer. Y avait-il quelqu'un d'autre ? Même s'il n'avait pas encore totalement surmonté son chagrin, il semblait aller mieux depuis quelque temps. Il sortait beaucoup — plus qu'il n'en avait l'habitude avec Anne —, assistait à des vernissages, dînait avec des amis, jouait au tennis. Pascale l'avait même trouvé rajeuni, lors du dernier repas qu'ils avaient pris ensemble. Plus mince, plus détendu, il émanait de lui un charme viril qu'elle n'avait jamais remarqué quand Anne était encore en vie.

Elle lui donna son numéro à Paris ; elle descendrait à Saint-Tropez deux jours avant le début du mois d'août, les propriétaires l'ayant autorisée à arriver plus tôt pour ouvrir la maison et commencer à s'installer. Cela faisait deux ans qu'ils n'y avaient pas mis les pieds.

— Comme ça, je préparerai les chambres avant votre arrivée, expliqua-t-elle avec entrain.

John et les Morrison arrivaient le 1er août ; Robert avait prévu de prendre l'avion le 3, en compagnie d'Amanda.

— Appelle-moi si tu as besoin de quoi que ce soit, dit-il avant de raccrocher pour retourner au travail.

Quelques minutes plus tard, Pascale appela Diana pour lui annoncer la nouvelle. Son amie se réjouit, mais quelque chose dans sa voix intrigua Pascale, qui ne put s'empêcher de lui demander si tout allait bien.

Diana hésita un instant avant de répondre que oui, tout allait très bien. Pascale lui parla alors de la fameuse « connaissance » que Robert désirait inviter à Saint-Tropez.

— Qui est-ce, à ton avis ? demanda Diana, intriguée.

— Je n'en ai pas la moindre idée. En fait, je n'ai pas osé lui poser la question. C'est sans doute un de ses confrères, ou peut-être un avocat. Un homme, très probablement.

— En tout cas, j'espère qu'il ne s'agit pas de l'actrice, fit Diana d'un ton où perçait l'inquiétude.

Non, c'était impossible, ils se connaissaient à peine, c'était bien trop tôt pour qu'il l'invitât en vacances. Et puis, d'ici au mois d'août, il se serait écoulé à peine sept mois depuis la disparition d'Anne.

— Quoi qu'il en soit, je suis heureuse qu'Amanda vienne avec lui ; sa présence le réconfortera.

Malgré les conflits qui l'avaient opposée à sa mère ces dernières années — et parfois même aux amies de sa mère —, Amanda était une jeune femme affec-

tueuse et généreuse, qui vouait un profond amour à
son père.

— Il n'a pas réellement besoin d'elle pour se sentir
bien, objecta Pascale. Elle possède un sacré caractère, l'aurais-tu oublié ? Anne se disputait souvent
avec elle ; elle disait toujours que ses fils étaient plus
dociles, plus ouverts.

Diana émit un petit rire.

— C'est vrai, mais elle était plus jeune. Et puis elle
ne reste que cinq jours... L'essentiel, c'est que son
père se réjouisse de sa présence et qu'il ait enfin
décidé de venir, conclut-elle avec indulgence.

— Tu as raison, admit Pascale, c'est l'essentiel.

Ils avaient mis cinq mois avant de réussir à le
convaincre. Et dans six semaines, ils seraient enfin
tous ensemble en France, pour le plus grand bonheur de Pascale.

— Appelle-moi dès que tu auras pris possession
des lieux, pria Diana. Je suis sûre que ce sera encore
plus beau que sur les photos !

Pascale partit d'un rire joyeux. Elle la tiendrait
sans faute au courant. Ces derniers temps, l'humeur
morose de Diana l'avait beaucoup souciée, même si
elle n'avait jamais eu le courage d'aborder franchement le sujet avec son amie. Elle espérait seulement
qu'il ne s'agissait pas d'un problème de santé. Le
décès d'Anne l'avait rendue plus attentive, plus
anxieuse aussi. Mais elles auraient tout le temps de
se faire des confidences cet été, à Saint-Tropez.

— Si cette maison n'est pas somptueuse, John me
tuera ! plaisanta Pascale. Il pleure encore l'argent qu'il
y a mis, imagine !

— Elle vaut largement son prix, j'en suis sûre, la rassura Diana. Mais ce ne serait pas vraiment John s'il ne se plaignait pas !

Elles rirent de bon cœur avant de raccrocher. Le lendemain, Pascale s'envola pour la France. Comme d'habitude, elle retrouva son pays avec un plaisir indicible. Elle rendit visite à tous ses amis, alla dîner dans ses restaurants préférés, flâna dans ses boutiques de prédilection. Elle passa un après-midi entier au Louvre, où elle admira les dernières expositions, et china chez les antiquaires de la rive gauche. Elle alla plusieurs fois au théâtre et passa aussi quelques soirées tranquilles avec sa mère, sa grand-mère et sa tante. Sa visite annuelle à Paris était sa manière à elle de recharger ses batteries. Pour une fois, sa mère semblait relativement en forme. Fidèle à ses habitudes, celle-ci passa son temps à accabler son gendre de reproches. A ses yeux, John était trop petit, trop replet, il manquait d'ambition et ne gagnait pas assez d'argent ; il s'habillait comme un Américain et n'avait jamais voulu faire l'effort d'apprendre le français. Prise entre deux feux, Pascale défendait autant sa mère quand John la critiquait qu'elle défendait son époux quand sa mère l'accablait de tous les maux. Aussi incorrigibles l'un que l'autre, les deux faisaient la paire et, face à leur acrimonie, Pascale faisait montre d'un stoïcisme à toute épreuve. Sourde comme un pot, sa tante n'entendait pas les méchancetés que sa sœur proférait à l'encontre de John, qu'elle considérait pour sa part comme un homme charmant. Quant à la grand-mère de Pascale, elle passait une bonne partie de son temps à dormir, mais elle avait toujours trouvé John très gentil.

De retour dans son pays, Pascale prenait plaisir à renouer avec ses racines. Son anglais perdait de sa précision et elle cherchait même ses mots, quand elle parlait au téléphone avec John. Elle dévorait tous les derniers romans parus, se délectait de ses plats préférés et fumait davantage de Gauloises. Chacune de ses expressions, chacune de ses attitudes redevenait typiquement française.

Elle était dans une forme éblouissante quand elle descendit dans le sud à la fin du mois de juillet. Malgré les délicieux repas qu'elle avait faits tout au long du mois, malgré les fromages et les desserts dont elle s'était régalée, elle s'était encore affinée — probablement en raison de ses longues promenades dans Paris. La veille de son départ pour la Côte d'Azur, sa mère et sa tante partirent en Italie. Elle donna à l'infirmière son numéro de téléphone à Saint-Tropez et quitta l'appartement sans faire de bruit — sa grand-mère dormait encore.

Le vol pour Nice était bondé ; couples, familles, gamins surexcités, montagnes de bagages, chapeaux de paille et casse-croûte... c'était un joyeux méli-mélo. Tous les sièges étaient occupés, et il régnait une ambiance gaie et festive. Les passagers se préparaient à passer leur sacro-saint mois de congés payés dans le sud de la France. La plupart d'entre eux étaient avec leur chien. Les Français aiment leurs compagnons canins presque autant que les Anglais. A la différence que les Anglais traitent leurs chiens en tant que tels, alors que les Français ne se gênent pas pour les emmener avec eux au restaurant, leur donnent à manger à table, les transportent partout dans des sortes de sacs à main et dépensent des petites fortunes en toilettage. Un concert d'aboiements éclata bientôt dans l'avion, mais Pascale n'y prêta pas attention. Les yeux rivés sur le hublot, elle songea à leurs vacances à Saint-Tropez. Enfant, elle passait tous ses étés à Saint-Jean-Cap-Ferrat ou à Antibes. Saint-Tropez était alors plus à la mode, un peu plus loin aussi. Elle mettrait à peu près deux heures pour s'y rendre en voiture depuis l'aéroport de Nice. Peut-être davantage, compte tenu de la circulation estivale.

L'avion ne tarda pas à atterrir et Pascale attendit ses bagages avec les autres passagers. A Paris, elle avait acheté des vêtements de plage, ajoutant une valise aux deux qu'elle avait déjà, sans oublier son grand fourre-tout Hermès et son sac de plage en paille. Un porteur l'aiderait à transporter toutes ses affaires jusqu'à sa voiture de location. Si John s'était trouvé avec elle, il l'aurait obligée à prendre au moins deux valises et se serait chargé du reste en fulminant. Le porteur, lui, mit le tout sans rechigner dans le coffre de la Peugeot. Une demi-heure après son arrivée à Nice, elle roulait vers Saint-Tropez.

A cette période de l'année, les routes étaient encombrées de luxueuses décapotables conduites par des couples séduisants ; il y avait aussi beaucoup de 2 CV, à croire qu'elles continuaient à se reproduire dans cette région ! Pascale aurait adoré conduire une de ces petites voitures au charme désuet, mais John s'y opposait catégoriquement, arguant qu'elles n'étaient pas suffisamment sûres.

Il était presque 18 heures quand elle atteignit Saint-Tropez. Observant à la lettre les indications qu'on lui avait données, elle suivit la départementale, puis prit la route des Plages ; vingt minutes plus tard, elle cherchait encore la maison. S'était-elle trompée quelque part ? Son estomac commençait à se tordre douloureusement, elle avait hâte de déposer ses affaires à la maison et d'aller dîner. Elle avait déjà prévu d'aller faire des courses le lendemain. Perdue dans ses pensées, elle passa devant un portail rouillé encadré de deux piliers en pierre délabrés. Un sourire naquit sur ses lèvres ; ce petit coin de France possédait un charme inégalé. Comme elle était heureuse de retrouver son pays ! Elle continua à rouler, mais au bout de dix minutes, lorsqu'elle se décida enfin à vérifier les numéros des maisons, elle s'aperçut qu'elle était allée trop loin. Elle fit demi-tour et rata de nouveau la villa. Aussi rebroussa-t-elle chemin pour la deuxième fois, bien décidée à scruter toutes les entrées. La villa se trouvait forcément quelque part par là, le portail était peut-être caché par la végétation… Elle repéra enfin le numéro précédent et se gara un peu plus loin pour examiner les environs. Ce faisant, elle tomba de nouveau sur les deux piliers à moitié écroulés. Plissant les yeux, elle aperçut un vieux panneau qui pendait de guingois à un clou rouillé. C'était sûrement une erreur. Pourtant, le panneau indiquait clairement le nom de leur maison : *Coup de foudre.* La nuit tombait, délicieusement douce, quand elle franchit le portail déglingué.

Saisie d'un étrange pressentiment, Pascale remonta l'allée bordée d'une végétation foisonnante. Les branchages éraflèrent la voiture. Ce n'était pas du tout la belle entrée soignée qu'elle avait admirée sur la brochure. De hautes touffes de mauvaises herbes se dressaient sur le chemin, l'obligeant à faire de violentes embardées. Elle eut soudain l'impression de se retrouver dans un thriller ou un film d'horreur. Un petit rire s'échappa de ses lèvres, au moment où elle négociait le dernier tournant. L'entrée était en effet très discrète ; on ne voyait absolument pas la propriété depuis la route. Lorsque la maison apparut enfin, elle appuya brusquement sur la pédale de frein, interdite. Comme dans la brochure, c'était une grande villa tapissée de lierre et percée de nombreuses portes-fenêtres ; mais les photos devaient dater d'un demi-siècle... La maison se trouvait dans un état de délabrement avancé, comme si cela faisait des années que personne ne l'avait habitée.

La pelouse n'était qu'une vaste étendue d'herbes folles, hautes d'un bon mètre. Quelques meubles de jardin endommagés gisaient sur la terrasse ; un vieux parasol fripé pendait lamentablement au-dessus d'une table en fer forgé rouillé qui n'invitait guère à la détente. Pendant une fraction de seconde, Pascale se crut l'objet d'une mauvaise plaisanterie. Hélas, elle dut se rendre à l'évidence. C'était bel et bien la maison qu'ils avaient louée. Coup de foudre... Ainsi, son nom était à prendre au sens littéral et non au sens métaphorique... Il y avait en effet peu de chance qu'on tombe amoureux de cette vieille bicoque en ruine !

— Merde, murmura-t-elle d'un ton incrédule, toujours agrippée au volant de la voiture.

Désormais, il ne lui restait plus qu'à prier pour que l'intérieur corresponde davantage aux photographies... Tenaillée par une sourde angoisse, elle sortit de la voiture et faillit tomber en trébuchant dans un nid-de-poule. Les chemins qui serpentaient autour de la maison étaient pleins de trous et d'ornières. Les jolis parterres de fleurs soigneusement entretenus, qui égayaient les photos, avaient cédé la place à quelques bouquets de fleurs champêtres, qui poussaient librement çà et là. Comme personne ne venait à sa rencontre, elle eut l'idée de klaxonner. Un couple aurait dû être là pour l'accueillir, elle leur avait écrit pour leur indiquer son jour d'arrivée. Hélas, les coups de Klaxon répétés demeurèrent sans effet. Surmontant son appréhension, elle se dirigea vers la porte d'entrée et poussa le bouton de la sonnette. Sans plus de succès. Des chiens se mirent à aboyer ; il devait y en avoir plusieurs dizaines, à en juger par le raffut qu'ils faisaient, et c'était sûrement des petits roquets. Au bout de cinq bonnes minutes, un bruit de pas se fit entendre à l'intérieur. Pascale attendit sur le perron, en proie à une inquiétude grandissante. Quand la porte s'ouvrit, elle ne vit tout d'abord qu'une impressionnante tignasse frisée, blond platine, qui formait un drôle de casque autour du visage lunaire de sa propriétaire. Pascale se souvint tout à coup du prénom de la femme de ménage. S'efforçant de détacher son regard de l'incroyable chevelure, elle demanda d'un ton hésitant :

— Agathe ?

— *Oui, c'est moi.*

Agathe portait un petit débardeur moulant, qui comprimait sa poitrine généreuse et laissait apparaître un grand morceau de son ventre, assorti à un short microscopique. Elle avait une silhouette toute ronde, des épaules jusqu'aux hanches. Son seul atout résidait dans ses jambes qu'elle avait longues et fuselées. Pascale contempla avec stupeur ses chaussures à talons aiguilles... Ils devaient mesurer plus de dix centimètres ! Une Gauloise maïs pendue au coin des lèvres, Agathe considéra Pascale d'un air impavide. Une volute de fumée grise enveloppait son visage, l'obligeant à fermer un œil. A ses pieds, trois caniches blancs impeccablement toilettés, tous ornés d'un petit nœud rose, tourbillonnaient frénétiquement. Leurs aboiements stridents résonnaient dans le hall d'entrée. Interloquée, Pascale continua à dévisager la femme qui se tenait en face d'elle. Quel âge pouvait-elle avoir ? Une bonne quarantaine d'années, peut-être même cinquante ans. La peau de son visage joufflu était toute lisse.

S'arrachant à ses réflexions, Pascale se présenta. Aussitôt, l'un des caniches s'attaqua à sa chaussure, tandis qu'un autre essayait de lui mordre la cheville.

— Ils ne vous feront pas de mal, lui assura Agathe en s'écartant pour la laisser entrer.

Pascale aperçut le salon. On aurait dit une scène de *La Fiancée de Frankenstein*. Le mobilier était démodé et abîmé, des toiles d'araignée pendaient au plafond et les magnifiques tapis persans de la brochure étaient usés jusqu'à la corde. Pascale dévisagea la femme de ménage d'un air interdit.

— Est-ce la maison que nous avons louée ?

Avec un peu de chance, Agathe lui répondrait que non, que la villa qu'ils avaient réservée se trouvait un peu plus bas sur la route... Mais Agathe hocha la tête en gloussant, et Pascale sentit son cœur chavirer. Le troisième chien se jeta à son tour sur ses chevilles. Coup de foudre... La maison portait décidément bien mal son nom.

— Ca fait un petit moment qu'elle n'a pas été ouverte, expliqua Agathe avec entrain. Vous verrez, avec un peu de soleil demain, elle sera magnifique.

Pascale s'abstint de tout commentaire. Il faudrait davantage qu'un rayon de soleil pour rendre cette maison attrayante. Pour l'instant, elle ressemblait plutôt à un tombeau. Les seules choses que Pascale reconnût furent la cheminée et la vue, toutes deux spectaculaires. Le reste était dans un état épouvantable. Seigneur, que devait-elle faire ? Les autres arrivaient dans deux jours. Elle n'avait plus qu'à appeler l'agence immobilière pour exiger le remboursement intégral de la somme versée. Oui, et ensuite ? Où passeraient-ils leurs vacances ? A cette époque de l'année, tous les hôtels étaient pleins à craquer. Elle ne pouvait tout de même pas leur proposer de rejoindre sa mère en Italie... Son cerveau était en pleine ébullition. Pendant ce temps, Agathe la considérait d'un air amusé.

— Il est arrivé la même chose à des touristes texans l'an dernier, expliqua-t-elle.

— Qu'ont-ils fait ?

— Ils ont poursuivi en justice l'agence immobilière et le propriétaire de la maison. Ensuite, ils ont loué un yacht.

C'était une bonne idée, au fond...

— Puis-je voir le reste ? demanda néanmoins Pascale.

Agathe hocha la tête et pivota sur ses talons vertigineux. Les chiens avaient enfin lâché prise, mais ils continuaient à aboyer furieusement, au grand désespoir de Pascale, saisie d'une soudaine envie de meurtre. La mort dans l'âme, elle suivit Agathe au salon.

La pièce était aussi grande que sur les photos, mais le mobilier était méconnaissable. La salle à manger était vide et sinistre ; une vieille table en bois brut trônait au milieu, entourée de chaises tendues de tissu taché. Un lustre pendait dangereusement au-dessus de la table couverte de restes de cire. En découvrant la cuisine, Pascale eut l'impression de recevoir un coup dans l'estomac. La pièce était dans un état de saleté innommable ; tout disparaissait sous une épaisse couche de graisse, et l'air était encore saturé de vieilles odeurs de cuisine. A l'évidence, Agathe n'avait pas perdu son temps à faire le ménage.

Les chambres se révélèrent plus avenantes. Spacieuses et lumineuses, elles étaient toutes peintes en blanc ; seuls les tapis tachés détonaient avec la sobriété du décor. Les portes-fenêtres offraient une vue imprenable sur la plage, compensant largement l'austérité des pièces. Si Agathe se mettait sérieusement au travail et qu'on égayait les pièces avec des brassées de fleurs, il serait envisageable d'y passer la nuit. La chambre principale était la plus jolie, mais toutes les autres étaient correctes ; elles avaient simplement besoin d'être lessivées, aérées et cirées.

— Ça vous plaît ? demanda Agathe.

Pascale hésita. S'ils décidaient de rester ici, ce dont elle doutait fort, il faudrait des heures de travail pour rendre la maison à peu près habitable. Comment réagiraient Diana et Eric ? Habitués au luxe et au confort, ils aimaient la propreté et les belles choses. Quant à Robert et John, ils tomberaient des nues en découvrant la bicoque qu'ils avaient payée une fortune ! D'un autre côté, Pascale répugnait à l'idée de renoncer à leurs vacances à Saint-Tropez. Ils en avaient tant rêvé ! John ne lui pardonnerait jamais... Dieu merci, ce n'était pas sa mère qui avait déniché la maison. Elle allait contacter l'agence sur-le-champ. Peut-être pourraient-ils leur trouver un autre endroit...

Un coup d'œil aux sanitaires confirma ses craintes. La plomberie était vétuste, les vasques et les baignoires encroûtées de crasse. Agathe n'avait absolument rien fait pour préparer leur arrivée : ni les toilettes, ni les vitres, ni les carrelages... C'était un vrai cauchemar ! Elle comprenait la réaction des Texans. D'ailleurs, il n'était pas exclu qu'elle poursuive l'agence en justice, elle aussi. Un mélange de déception et de colère la submergea, et elle dut faire un effort pour ne pas hurler. Et ces trois roquets qui continuaient à aboyer comme des furies... Oh, elle leur aurait volontiers décoché un bon coup de pied pour les faire taire !

— *C'est une honte !* s'écria-t-elle en toisant Agathe d'un air indigné, très parisien. Depuis quand n'a-t-on pas fait le ménage ici ?

— Depuis ce matin, Madame, répondit Agathe en prenant un air offensé.

Pascale secoua la tête, furibonde.

— Et le jardinier… votre mari ? Il ne peut pas vous donner un coup de main ?

— Marius ne s'occupe pas des tâches ménagères, répliqua Agathe en se redressant de toute sa hauteur.

Même perchée sur ses incroyables talons, elle ne dépassait pas Pascale, mais semblait en revanche trois fois plus large.

— Eh bien, il va devoir s'y mettre, s'il nous faut rester dans ce taudis ! lança Pascale en la foudroyant du regard.

D'un pas rageur, elle descendit à la cuisine, où se trouvait l'unique téléphone de la maison. Elle décrocha le combiné d'un air dégoûté ; il était presque aussi gras que la cuisinière !

Dès qu'elle fut en ligne avec l'agence, elle donna libre cours à sa fureur, menaçant son interlocutrice de poursuites judiciaires, de scandale et même de meurtre ! Ils avaient plutôt intérêt à leur trouver une autre maison, tout de suite, ou même des chambres d'hôtel, peu importait ! Sa colère redoubla d'intensité, lorsqu'elle songea à la tête que ferait John en découvrant la villa.

— Il est hors de question que nous passions un mois dans cet endroit… C'est absolument invivable, immonde, *dégueulasse*, vous m'entendez ? Avez-vous visité l'intérieur, au moins ? Qu'est-ce que vous vous imaginiez, bon sang ? Ça fait au moins vingt ans que cette maison n'a pas été entretenue !

Du coin de l'œil, elle vit Agathe s'éloigner la tête haute, talonnée par sa nuée de roquets. La conversation téléphonique dura une demi-heure. Finalement, la directrice de l'agence promit de passer le lendemain matin afin de prendre les dispositions nécessaires. Hélas, il ne restait plus d'autre maison à louer sur Saint-Tropez. Mais celle-ci était superbe, insista-t-elle, il suffirait d'un bon coup d'aspirateur et de serpillière pour qu'elle retrouve tout son éclat.

— Vous êtes complètement folle ! explosa Pascale, à bout de nerfs. Il faudrait la raser complètement, oui ! Puis-je savoir qui va se charger du ménage ? Mes amis arrivent dans deux jours. Au cas où vous ne le sauriez pas, ils sont américains et c'est exactement ce qu'ils s'imaginent de la France et des Français ! Vous venez de confirmer tous leurs a priori ! Vous nous avez escroqués avec votre brochure, vous nous avez soutiré de l'argent illégalement... Cette maison est une porcherie ! Nous sommes déshonorés, conclut Pascale dans un accès de lyrisme. Ce n'est pas seulement moi, mais la France entière que vous avez trahie !

A l'autre bout du fil, son interlocutrice ne désarma pas. Tout allait s'arranger, il ne fallait pas qu'elle s'inquiète. C'était réellement une belle maison.

— Elle le fut sans doute autrefois, il y a une éternité, rétorqua Pascale, sarcastique.

— Je vous enverrai une équipe de nettoyage demain, assura la responsable.

Ses efforts de conciliation laissèrent Pascale de marbre.

— Je vous conseille de venir en personne, à 7 heures tapantes, avec un chèque correspondant à la moitié de la somme que nous avons versée. Sinon, je vous attaque en justice. Convoquez votre équipe de nettoyage. Vous allez me donner un coup de main jusqu'à l'arrivée de mes amis et, je vous préviens, vos employés ont intérêt à être motivés !

— Evidemment, répondit l'autre d'un ton légèrement hautain. Je vais faire tout mon possible.

C'était une amie de l'agent que Pascale connaissait à Paris et cette dernière l'avait déjà menacée de se charger personnellement de sa carrière professionnelle, si elle n'opérait pas un petit miracle.

— Venez avec un bataillon de femmes de ménage, des appareils ménagers et un stock de produits d'entretien !

— Vous pouvez compter sur moi, madame.

— Merci, maugréa Pascale avant de raccrocher.

Elle inspira profondément, s'efforçant de recouvrer son calme. Elle était sortie de ses gonds mais, après tout, elle était dans son bon droit. Comment cette femme avait-elle pu s'imaginer un instant qu'ils se laisseraient faire sans rien dire ? Ruminant sa colère, elle sortit de la cuisine et sursauta violemment. En face d'elle se tenait un géant de deux mètres. Très maigre, d'allure peu rassurante, il portait une longue barbe, une salopette en jean sans rien dessous et une paire de mocassins en cuir verni. Des cheveux longs et hirsutes encadraient son visage émacié. L'espace d'un instant, Pascale le prit pour un vagabond. Puis elle comprit. Il tenait dans ses bras un petit caniche blanc, dont il rajusta le nœud rose d'un geste affectueux.

— Vous devez être Marius, le mari d'Agathe, balbutia Pascale.

Il s'inclina respectueusement.

— A votre service, Madame. Bienvenue.

Bienvenue ! Quel humour... Pascale le dévisagea d'un air peu amène.

— Y a-t-il une tondeuse à gazon quelque part dans cette maison ? demanda-t-elle de but en blanc.

Il haussa les sourcils, comme si elle venait de lui poser une question totalement farfelue.

— Euh, oui, c'est possible...

— Dans ce cas, vous commencerez à tondre la pelouse à 6 heures, demain matin. Je pense qu'il vous faudra la journée pour débroussailler le jardin.

— Mais, Madame, vous ne comprenez pas... C'est ce qui fait tout le charme...

Pascale le foudroya du regard.

— Désolée, je ne trouve aucun charme aux mauvaises herbes, répliqua-t-elle tandis qu'il continuait à caresser son chien. Le parc est dans un état lamentable, c'est une vraie jungle ! Je vous ordonne de vous en occuper dès demain. Après ça, nous aurons besoin de vous à la maison. C'est un travail de titan que nous devrons accomplir tous ensemble, j'aime autant vous prévenir.

Agathe les rejoignit au même instant. Les deux époux échangèrent un regard contrarié.

— Mon mari a le dos fragile, expliqua Agathe. Les efforts physiques lui sont déconseillés.

Pascale examina Marius du coin de l'œil. Il devait avoir quarante-cinq ans, maximum, et semblait plus paresseux que réellement faible. A en juger par son regard vitreux et son sourire stupide, Pascale le soupçonna même d'être ivre, voire drogué. Il esquissa une autre courbette et chancela légèrement en se redressant. Pour l'heure, Pascale s'en moquait. Elle le doperait avec des litres de café et des tubes de vitamines s'il le fallait, mais il abattrait sa besogne ! Pour le moment elle n'avait que ce couple d'originaux à disposition...

— Nous avons deux jours devant nous, avant l'arrivée des autres vacanciers, déclara-t-elle d'un ton menaçant. Je peux vous garantir que cette maison sera propre d'ici là.

Pascale devinait facilement leurs pensées : elle avait passé beaucoup trop de temps aux Etats-Unis, la mentalité des Américains avait déteint sur elle. Mais elle se fichait éperdument de leur opinion ; une seule chose comptait pour l'instant : qu'ils se mettent au travail ! Sans les quitter des yeux, elle se redressa de toute sa taille pour se glisser dans la peau d'un maître de ballet tyrannique.

— Savez-vous faire la cuisine ? demanda-t-elle à l'adresse d'Agathe.

— Pas vraiment, fit celle-ci en haussant les épaules.

Une pluie de cendres se répandit sur sa poitrine opulente. Elle les balaya du revers de la main pour épargner le chien qu'elle serrait contre elle. Le troisième tournoyait autour d'eux en jappant. Une douleur sourde martelait les tempes de Pascale. Mieux valait ne pas compter sur les talents de cuisinière d'Agathe. Elle se chargerait de cette tâche toute seule, et puis ils pourraient toujours manger au restaurant de temps en temps... si John acceptait de mettre la main à la poche.

— Voulez-vous que j'aille chercher vos bagages ? proposa Marius en soufflant vers elle son haleine avinée.

Pascale hésita. Elle aurait préféré passer la nuit à l'hôtel... D'un autre côté, il était plus sage de rester sur place, si elle voulait réellement que ces deux énergumènes se mettent au travail à la première heure, le lendemain. Bien décidée à superviser le déroulement de la journée, elle ne leur laisserait pas un instant de répit ! Etouffant un soupir, elle tendit ses clés de voiture à Marius.

Il réapparut un moment plus tard, chargé des valises.

— La chambre principale, Madame ? demanda-t-il, avec une courtoisie exagérée.

Pascale réprima un fou rire nerveux en contemplant ce grand échalas hirsute, avec sa salopette et ses affreux mocassins vernis. La situation frisait l'absurde !

— Oui, ça fera l'affaire.

Il n'était pas impossible qu'elle cédât cette chambre par la suite aux Morrison, mais elle s'y installerait jusqu'à leur arrivée. Marius monta les bagages à l'étage. Envahie par une vague de découragement, Pascale se laissa tomber dans l'unique fauteuil de la pièce. Les ressorts cédèrent sous son poids et elle manqua se retrouver par terre. Après le départ du couple, elle resta un long moment immobile, perdue dans la contemplation du paysage. La vue était magnifique, la maison miteuse. Partagée entre le rire et les larmes, elle songea un instant à appeler Diana. Mais que lui dirait-elle ? Ils seraient terriblement déçus... Quant à John, elle préférait ne pas imaginer sa réaction ! Elle espérait seulement qu'il ne l'appellerait pas tout de suite, parce qu'il devinerait au son de sa voix que quelque chose ne tournait pas rond. Il ne lui restait plus qu'à essayer de rendre la maison habitable. Ce serait un vrai miracle si elle y parvenait en deux jours... Comme les derniers rayons du soleil irisaient la surface de l'eau, elle se carra dans le vieux fauteuil en soupirant. Elle était épuisée, elle souffrait d'une atroce migraine et elle se préparait à passer deux journées particulièrement éprouvantes. Quelle drôle de façon d'entamer des vacances à Saint-Tropez ! Pourtant, Pascale refusait de s'avouer vaincue.

La magie opérerait... coûte que coûte !

6

Lorsque le réveil sonna à 5 h 30, Pascale enfila un jean et un tee-shirt, puis descendit à la cuisine pour préparer du café. Elle ne trouva qu'une petite dose de café moulu et brancha la cafetière. Esquissant une moue consternée, elle s'assit sur une vieille chaise et alluma une cigarette. A l'instant où elle envisageait d'aller réveiller le couple infernal, un caniche arriva en trombe dans la cuisine et se mit à aboyer en l'apercevant. Deux secondes plus tard, Agathe faisait son apparition. Perchée sur ses talons de dix centimètres, elle portait un petit tablier sur un bikini rouge qui ne dissimulait pas grand-chose de ses rondeurs.

Pascale la toisa d'un air mi-surpris, mi-ironique.

— C'est votre tenue de travail ?

Au fond, rien ne l'étonnait plus de la part de cette originale. Sa chevelure crépue semblait encore plus volumineuse que la veille. Elle avait peint ses lèvres d'un rouge assorti à son bikini, et ses trois caniches tournaient frénétiquement autour d'elle sans cesser d'aboyer.

— Serait-il possible de les enfermer quelque part

pendant que nous travaillons ? s'enquit Pascale en se servant un deuxième café.

Elle n'avait rien avalé depuis le déjeuner de la veille et songea avec nostalgie aux croissants dorés que sa mère lui achetait tous les matins, au petit déjeuner. Ici, hélas, les placards étaient vides. Elle n'avait pas le temps non plus d'aller faire les courses. La maison restait sa priorité absolue. Agathe s'était levée à l'heure dite, c'était déjà un bon point. Marius les rejoignit cinq minutes plus tard. Il avait trouvé la tondeuse, qui lui semblait en mauvais état.

Pascale sortit pour examiner l'engin. A son grand soulagement, le moteur était encore là. Elle ordonna à Marius de tondre jusqu'à ce que le parc ait retrouvé une allure décente.

— Je dois tondre toute la pelouse ? répéta celui-ci, incrédule.

Pascale hocha la tête. Au moins, il aurait de quoi s'occuper pendant plusieurs heures, même si cette perspective ne semblait guère le réjouir. Agathe était allée enfermer les chiens dans leur chambre, située derrière la cuisine. Elle revint armée de chiffons et d'éponges, de détergents et d'une tête-de-loup qu'elle se mit à brandir comme s'il s'agissait d'une baguette magique. Exaspérée, Pascale lui prit l'ustensile des mains, lui tendit à la place une serpillière et un bidon de nettoyant ménager et l'envoya à la cuisine. Elle préférait s'occuper elle-même du salon.

Elle commença par rouler les tapis et les rangea dans un placard. Le carrelage était plus esthétique que ces vieilles carpettes élimées. Puis elle battit les coussins du canapé et les rideaux, avant de passer l'aspirateur dans les moindres recoins. La poussière la fit éternuer, des larmes picotèrent ses paupières irritées, mais la pièce semblait déjà plus agréable. Elle remit les coussins en place, pestant contre les taches qui maculaient le cuir. Puis elle cira les meubles, frotta les vitres avec du papier journal comme le lui avait appris sa grand-mère, nettoya toutes les surfaces visibles et s'attaqua finalement au sol. Si le salon ne ressemblait toujours pas aux photos de la brochure, il était néanmoins plus agréable à l'œil que la veille. La directrice de l'agence immobilière arriva enfin, escortée d'une équipe de choc, principalement des étudiants qu'elle avait engagés pour la journée.

Après une autre discussion houleuse, la directrice accepta de leur rembourser la moitié de la location. Pascale se sentit soulagée : au moins une nouvelle qui ravirait John...

Mais la journée venait à peine de commencer et le plus gros restait à faire. Une idée germa dans l'esprit de Pascale, qui gagna sa chambre d'un pas rapide. Là, elle rassembla les étoles et les châles aux couleurs vives qu'elle avait apportés, puis elle redescendit au salon et en couvrit soigneusement tous les coussins du canapé, ainsi que les fauteuils au cuir râpé et maculé. La métamorphose avait enfin eu lieu : les fenêtres étaient propres, les rideaux, joliment drapés, les toiles d'araignée avaient disparu, le carrelage étincelait et les tissus chamarrés, qui ornaient le canapé et les fauteuils, apportaient une note de gaieté à la pièce. Il ne restait plus qu'à ajouter quelques bouquets de fleurs, des bougies et des ampoules plus puissantes, et le tour serait joué !

L'équipe recrutée par l'agence avait investi la cuisine, et Pascale avait chargé Agathe de s'occuper des sanitaires, en précisant bien que tout devait « étinceler de mille feux ». Quant à Marius, il continuait à passer la tondeuse sous un soleil de plomb. Pascale sortit dans le jardin pour l'encourager. L'air renfrogné, il accepta ses compliments. Elle lui demanda de faire disparaître le mobilier de jardin abîmé. Le parc commençait à prendre forme, et les fleurs champêtres qui poussaient librement le long des bordures possédaient un certain charme.

Il était plus de 20 heures quand ils levèrent le pied. En venant chercher son équipe, la directrice de l'agence considéra le résultat d'un air éberlué. Ce n'était pas parfait, ça ne ressemblait toujours pas aux photos, mais c'était déjà mille fois plus agréable que ce que Pascale avait découvert la veille. La cuisine restait un peu sombre, la gazinière datait d'une autre époque mais, au moins, tout était d'une propreté impeccable.

Pascale était exténuée. Cela faisait quatorze heures qu'elle était sur le pied de guerre. Dieu merci, le résultat en valait la peine. Son mari et ses amis seraient sans doute un peu décontenancés, mais ils ne s'enfuiraient pas en courant. La directrice de l'agence avait apporté du fromage, du pâté et des fruits pour le déjeuner, mais Pascale avait à peine eu le temps d'y toucher. A présent, elle avait hâte de se retrouver seule. Avant de partir, la directrice lui promit de revenir le lendemain avec la même équipe.

Marius finirait de s'occuper du jardin. Agathe avait passé la journée à plaindre son cher époux, mais elle était, elle aussi, au bout du rouleau. Ses cheveux frisés se dressaient sur sa tête comme si elle avait mis les doigts dans une prise électrique, son bikini pendait lamentablement sur ses formes généreuses, et elle avait fini par quitter ses talons aiguilles. Heureusement, les petits chiens pomponnés étaient restés invisibles et silencieux.

Assise à la table de la cuisine, Pascale était en train de terminer les restes de pâté, lorsque la sonnerie du téléphone la fit sursauter. Elle décrocha. C'était John qui l'appelait du bureau. Sa voix était pleine d'entrain et d'impatience. Cela faisait six semaines qu'ils ne s'étaient pas vus et il se réjouissait de la retrouver bientôt.

— Alors, c'est comment ? Superbe ? demanda-t-il avec enthousiasme.

Pascale ferma les yeux.

— Ce n'est pas tout à fait comme sur les photos, commença-t-elle en choisissant soigneusement ses mots.

— C'est encore mieux, je parie...

Pascale ne put s'empêcher de rire. Elle se sentait si lasse qu'elle avait à peine la force de parler.

— Pas vraiment, non. C'est juste... différent. Disons, un peu plus décontracté.

— Magnifique !

Ce n'était pas le terme qu'elle aurait choisi pour décrire la villa mais, au moins, elle aurait fait de son mieux.

— As-tu appelé les autres ?

— Non, je n'ai pas eu une minute à moi, avoua Pascale.

John partit d'un rire amusé.

— Tu as passé la journée à te faire dorer au soleil, c'est ça ? Veinarde…

— Non, je… j'ai préparé la maison pour votre arrivée.

— Repose-toi un peu, pour une fois !

— Demain, peut-être, répondit-elle vaguement en étouffant un bâillement.

— Et je te vois après-demain.

— J'ai hâte que tu sois là, murmura-t-elle en souriant.

Ses yeux balayèrent distraitement la cuisine défraîchie, repérant une tache de graisse qui avait échappé à leur vigilance.

— Prends le temps de te détendre un peu, répéta John. Je veux te trouver en pleine forme !

— Ne t'inquiète pas pour moi. Fais bon voyage.

Après qu'ils eurent raccroché, elle éteignit les lumières et monta se coucher. Agathe avait troqué les draps élimés et grisâtres contre d'autres en meilleur état. Les serviettes de toilette n'étaient pas toutes jeunes non plus, mais elles étaient propres. Pascale sombra dans un sommeil sans rêve à l'instant même où sa tête toucha l'oreiller, et ne se réveilla que lorsque le soleil inonda la pièce. Les stores étaient bloqués, les volets cassés. Mais cela ne la dérangeait pas.

La journée fut aussi dense que la veille. L'équipe de l'agence rechigna quelque peu, gagnée par la fatigue, mais Pascale réussit à les retenir jusqu'à la fin de l'après-midi. Quand elle sortit pour inspecter le travail de Marius, un sourire éclaira son visage. La pelouse était tondue de près, le mobilier de jardin détérioré avait disparu. Ce qui restait était fonctionnel, bien que nécessitant une couche de peinture fraîche. Marius aurait peut-être le temps de s'y atteler avant la fin de la journée... Son optimisme fut de courte durée : le jardinier s'était réfugié dans sa chambre. Allongé sur son lit, il ronflait bruyamment, entouré de ses toutous. Trois canettes de bière vides gisaient à ses pieds. A l'évidence, elle ne pourrait rien lui demander avant un bon moment. Agathe commençait, elle aussi, à montrer des signes de fatigue.

A 17 heures, Pascale prit la voiture et se rendit à Saint-Tropez. Elle revint le coffre plein à ras bord. Elle avait acheté des bougies, des fleurs fraîches et séchées, des vases, trois jetés de canapés bariolés pour égayer davantage le salon, et des pots de peinture blanche pour repeindre le mobilier de jardin. A 21 heures, la maison était propre et rangée, le jardin impeccable. Il y avait des fleurs et des magazines dans toutes les chambres. Pascale avait également trouvé des savons délicieusement parfumés et des serviettes de toilette moelleuses pour chacun des futurs vacanciers. On eût dit que la maison avait été transformée d'un coup de baguette magique.

Quelle serait la réaction de son mari et de ses amis, quand ils la verraient ? Bien qu'elle lui semblât nettement plus jolie que le jour de son arrivée, ce n'était pas tout à fait ce à quoi ils s'attendaient. Elle espérait seulement qu'ils ne seraient pas furieux contre elle. Pascale haussa les épaules. De toute façon, elle ne pouvait guère faire mieux sans l'intervention d'un maçon et d'un décorateur ! La nuit tombait lorsqu'elle trouva enfin le temps de descendre jusqu'au ponton. Là, une nouvelle surprise l'attendait. Comme la maison, le bateau était en piteux état. Pourraient-ils seulement s'en servir, avec ces voiles tachées, effilochées ? Passionnés de navigation, Robert et Eric réussiraient sans doute à le remettre à l'eau.

Ce soir-là, Pascale alla se coucher épuisée mais satisfaite du travail accompli. Comme elle avait eu raison d'insister pour venir deux jours avant l'arrivée de ses compagnons ! Si elle n'avait pas écouté son instinct, nul doute qu'ils auraient pris leurs jambes à leur cou en découvrant la maison. Et leurs vacances auraient été gâchées… Adieu Saint-Tropez et sa douceur de vivre !

Elle dormit comme un loir. Il était déjà 10 heures quand elle se réveilla. Le soleil entrait à flots dans la pièce égayée par de jolis bouquets de fleurs. Piochant dans les placards qu'elle avait remplis la veille, elle prépara du café et savoura un pain au chocolat tout en feuilletant un vieil exemplaire de *Paris Match*. Puis elle parcourut *The International Herald Tribune*, acheté spécialement pour son époux. Elle prenait également plaisir à se plonger dans *Le Monde*, dès qu'elle se trouvait en France.

Elle était en train de débarrasser la table quand Agathe fit son entrée, vêtue d'un cycliste vert fluo et d'un débardeur blanc quasi transparent. Avec ses cheveux frisottés, elle ressemblait à ses caniches. Des lunettes papillon ornées de strass dissimulaient son regard, et des sandales à talons compensés dorées complétaient sa tenue éclatante.

— Belle journée, fit-elle remarquer en rinçant la tasse de Pascale avec sa nonchalance coutumière. A quelle heure vos amis arrivent-ils ?

— En fin d'après-midi. J'aimerais que Marius aille aussi à l'aéroport avec sa fourgonnette. Leurs bagages ne tiendront pas dans mon coffre.

Agathe lui coula un regard accusateur.

— Il s'est fait mal au dos hier.

Elle plissa l'œil droit pour éviter la fumée provenant de la Gauloise collée au coin de ses lèvres. Pascale l'examina longuement, hésitant à lui faire une remarque sur sa tenue vestimentaire.

— Il peut tout de même conduire ?

— Peut-être, répondit Agathe d'un ton évasif.

Captant le message, Pascale alla chercher son sac à main et sortit de son portefeuille deux billets de cinquante euros. Cela faisait sans doute des années qu'ils n'avaient pas travaillé autant, tous les deux. Agathe empocha les billets avec un sourire reconnaissant. C'était de bonne guerre, après tout.

— Je crois qu'il pourra prendre le volant. A quelle heure voulez-vous partir ?

— A 15 heures. L'avion atterrit à 17 heures. Nous serons de retour pour le dîner.

Pascale avait déjà prévu de préparer le repas ; elle n'aurait plus qu'à tout réchauffer en rentrant. Avec la fatigue du voyage, personne n'aurait envie de manger dehors, ce soir-là.

Contre un autre billet, elle parvint même à persuader Marius de repeindre le mobilier de jardin avant leur départ pour l'aéroport. Quand ils se mirent en route, la maison était impeccable. Même Agathe s'extasia devant le miracle accompli. Jamais elle n'aurait cru que Pascale resterait ; cela faisait des années qu'aucun touriste n'avait séjourné dans la villa.

— On a fait du bon boulot, n'est-ce pas ? s'exclama la femme de ménage avant d'avaler une grande gorgée de bière.

Tournoyant à ses pieds, les chiens se mirent à japper, comme pour exprimer leur approbation. Elle avait revêtu un corsage en mousseline fuchsia, qui laissait paraître un soutien-gorge noir, un petit short rose et ses fameux escarpins à talons aiguilles rouge vif. Pascale avait renoncé à aborder ce sujet. Comme elle, son mari et ses amis finiraient bien par s'y faire. En réalité, c'étaient les chiens qui la souciaient le plus. Prétextant que son mari était allergique à la gent canine, Pascale avait prié Agathe de les enfermer dans sa chambre aussi souvent que possible.

Le trajet jusqu'à Nice s'avéra long et pénible en raison de la chaleur caniculaire. Arrivés à l'aéroport, Pascale s'offrit un verre de jus d'orange tandis que Marius s'achetait une canette de bière. Il portait de nouveau sa salopette en jean et ses mocassins vernis, à croire qu'il s'agissait là de sa tenue de travail. Une immense fatigue la submergeait. Elle avait vraiment besoin de repos.

Le vol se déroula sans encombre. John avait pris le même avion que les Morrison, mais Eric et Diana avaient réservé deux places en classe affaires, comme d'habitude, tandis que John voyageait en classe économique. Eric le taquina gentiment quand il vint le voir pendant le vol ; ils bavardèrent un moment, puis John raccompagna son ami jusqu'à son fauteuil. Diana lisait tranquillement. Elle leva les yeux à leur approche, et John y décela une froideur inhabituelle à l'égard de son mari. Perplexe, il regagna son siège et s'efforça de dormir un peu. Il avait hâte de revoir Pascale. Malgré leurs chamailleries permanentes, il était toujours éperdument amoureux de sa femme, même après vingt-cinq ans de mariage. Elle donnait de l'élan à sa vie et il aimait son tempérament passionné, qu'ils se disputent ou qu'ils fassent l'amour. Au cours des six dernières semaines, leur appartement new-yorkais lui avait paru bien vide et bien triste.

— Pascale a dit à John que la maison était superbe, déclara Eric en prenant place à côté de son épouse.

Les yeux baissés sur son livre, Diana ne répondit pas.

— As-tu entendu ce que je viens de dire ? reprit-il d'un ton calme.

Elle daigna enfin le regarder. Elle avait été à deux doigts d'annuler son voyage, et Eric était à la fois heureux et soulagé de l'avoir auprès de lui. Leurs rapports étaient extrêmement tendus depuis un mois. L'épreuve qu'ils avaient traversée se lisait sur les traits tirés de Diana.

— J'ai parfaitement entendu, dit-elle d'une voix blanche. Je suis ravie que la maison plaise à Pascale.

Son regard ne trahissait aucune émotion.

— J'espère qu'elle te plaira aussi, fit-il gentiment.

Il espérait de tout cœur que ce séjour leur serait bénéfique. Avec un peu de chance, un mois de vacances à Saint-Tropez les aiderait à renouer le lien qui les unissait depuis tant d'années. En plus des nombreuses passions qu'ils avaient en commun, ils s'étaient toujours voué une admiration aussi sincère que profonde.

— Je ne sais pas encore combien de temps je resterai, déclara-t-elle pour la énième fois en deux semaines. On verra bien.

— La fuite n'a jamais résolu les problèmes. Profitons de nos vacances en compagnie de nos amis, amusons-nous, ça nous fera sans doute un bien fou à tous les deux, conclut-il sur un ton plein d'espoir qui laissa Diana de marbre.

— Ce n'est pas non plus en nous « amusant » que nos problèmes s'envoleront. Désolée, mais je ne vois absolument rien de drôle dans ce qui nous arrive.

Eric avait mis leur mariage en péril et Diana ignorait encore comment elle allait réagir. A plusieurs reprises au cours des semaines passées, elle avait pris une décision, pour ensuite changer d'avis, en pleine confusion. Elle ne voulait pas agir dans la précipitation. Mais elle ignorait encore si elle pourrait lui pardonner. Il lui avait porté un coup terrible, ébranlant à jamais la confiance qu'elle avait en lui, en même temps que son amour-propre. Elle se sentait rejetée, trahie... et affreusement vieille. Pourrait-elle l'aimer comme avant ? Cette question ne cessait de la tarauder.

— Diana, essayons de ne plus penser à tout ça, veux-tu ?

C'était tellement facile, pour lui !

— Merci du conseil, répliqua-t-elle d'un ton sarcastique. Maintenant que je sais ce que je dois faire, je suis sûre que ça ira mieux, ajouta-t-elle en reprenant son livre.

Comme elle faisait mine de se replonger dans son roman, des larmes embuèrent son regard. Son esprit vagabondait depuis qu'ils avaient embarqué et elle n'avait pas lu un traître mot. C'était simplement une manière d'empêcher Eric de lui adresser la parole. Ne s'étaient-ils pas déjà tout dit, ces dernières semaines ?

— Je t'en prie, Diana… Ne te ferme pas comme ça…

Elle laissa passer quelques instants avant de se tourner vers lui. Le chagrin était gravé sur ses traits.

— Comment voudrais-tu que je sois, Eric ? Indifférente ? Détendue ? Gaie, peut-être ? C'est ça, n'est-ce pas ? Je devrais être l'épouse tendre et compréhensive, qui tend les bras à son pauvre mari… Désolée, je n'y arrive pas, conclut-elle d'une voix étranglée.

— Donne-moi au moins une chance. Laissons les choses s'apaiser ce mois-ci. Nous venons de traverser une période difficile, tous les deux et…

Diana se leva brusquement de son siège.

— Excuse-moi, Eric, mais j'ai du mal à croire que ce soit si « difficile » pour toi. Il semblerait que nous ne partagions pas la même interprétation du mot. J'ai bien essayé, mais je n'y arrive pas.

Sur ce, elle l'enjamba et remonta l'allée centrale. Elle avait besoin d'être seule et refusait d'entendre de nouveau ses excuses, ses explications, ses promesses. La présence d'Eric lui devenait insupportable. Oh, pourquoi, mais pourquoi avait-elle accepté de venir ? Par respect pour ses amis, principalement. Elle se dirigea vers la classe économique et repéra John. Il dormait à poings fermés. Elle alla se poster à l'arrière de l'appareil et fixa le hublot d'un air absent. Jamais elle n'aurait cru vivre ça un jour. Tout ce qu'ils avaient aimé et partagé, toute la confiance qu'elle accordait à Eric... Tout cela s'était brisé brutalement. Irrémédiablement, sans doute. En proie à un profond abattement, elle regagna son fauteuil. Le reste du voyage se déroula dans un silence absolu.

L'avion se posa à l'heure. Un sourire illumina le visage de Pascale quand elle aperçut John et les Morrison. Ils avaient l'air fatigués et moins loquaces que d'habitude mais, dès qu'ils furent dans la voiture, tous se mirent à parler de la maison avec animation. Marius les suivait au volant de la fourgonnette, le coffre plein de bagages. Ils avaient semblé légèrement surpris en découvrant l'homme à tout faire de la villa, et Pascale crut bon de les préparer au choc visuel qu'ils recevraient forcément lorsqu'elle leur présenterait Agathe, surtout si cette dernière arborait son bikini et ses fameux talons aiguilles...

— Elle ne porte pas d'uniforme ? s'étonna John.

Sans vraiment savoir pourquoi, il avait imaginé un couple de domestiques distingués, vêtus d'uniformes d'une blancheur éclatante. La bonne leur aurait servi à manger dans les règles de l'art, sur la terrasse de la somptueuse villa... Visiblement, il s'était trompé.

— Pas vraiment, non, répondit Pascale. Ils sont un peu... excentriques, mais ils ne rechignent pas à la besogne.

« Ils boivent beaucoup et possèdent d'horribles caniches qui ne cessent jamais d'aboyer », aurait-elle pu ajouter, mais elle s'abstint, pour une raison obscure...

— J'espère que la maison va vous plaire, dit-elle d'un ton dubitatif lorsqu'ils atteignirent Saint-Tropez.

— Nous allons l'adorer, assura Eric.

Il était 19 h 30. Quelques minutes plus tard, ils franchirent le portail bringuebalant et s'engagèrent dans l'allée cahoteuse.

— C'est un peu plus rustique que ce que nous pensions, concéda Pascale.

La stupéfaction se peignit sur le visage de John. Assis sur la banquette arrière, les Morrison observaient un silence inquiétant. Peut-être étaient-ils fatigués, tout simplement... Elle se gara enfin et John contempla la maison d'un air interdit.

— La façade aurait besoin d'un bon coup de peinture, peut-être même d'un ravalement complet, non ?

— Bien plus que ça, en réalité, mais au moins l'intérieur est propre maintenant, déclara Pascale.

— Parce que le ménage n'était pas fait quand tu es arrivée ? intervint Diana, horrifiée.

— Pas vraiment, non.

Elle éclata de rire. A quoi bon leur cacher la vérité ? Maintenant qu'ils étaient là, autant tout leur raconter.

— La maison ressemblait à une porcherie quand je suis arrivée. J'ai passé deux jours entiers à faire le ménage, aidée par une équipe de dix personnes. La bonne nouvelle, c'est que l'agence nous a remboursé la moitié de la location pour nous avoir trompés sur la marchandise.

Le visage de John s'éclaira aussitôt. Rien n'aurait pu lui faire davantage plaisir ! Mais Diana ne l'entendait pas de cette oreille.

— Est-ce vraiment sordide ? demanda-t-elle d'un ton inquiet.

Eric s'empressa de la rassurer. Il n'avait aucune envie qu'elle parte. A son tour, Pascale secoua la tête.

— Non, ce n'est pas sordide. Disons qu'il n'y a pas beaucoup de meubles et que la décoration est plutôt vieillotte. La cuisine est carrément moyenâgeuse, ajouta-t-elle avec une moue penaude.

— Et alors ? On s'en fiche ! s'écria John en riant.

Du moment qu'il avait récupéré la moitié de son argent, plus rien ne semblait lui poser de problème ! Quand ils entrèrent dans la maison, Diana retint son souffle. Quelques meubles dépareillés occupaient les vastes pièces, dépouillées de tout confort. Heureusement, les châles de Pascale apportaient une note chaleureuse à l'ensemble. Sans doute masquaient-ils aussi l'état déplorable du canapé et des fauteuils en cuir. Ils firent le tour de la maison et s'accordèrent à la trouver plutôt agréable, même s'ils s'attendaient à tout autre chose. Quand Pascale leur raconta ce qu'elle avait trouvé l'avant-veille, ils la félicitèrent de ses efforts et de sa présence d'esprit.

— Tu as bien fait d'arriver un peu avant, si je comprends bien, fit observer Eric en jetant un coup d'œil à la cuisine étincelante de propreté.

John leva un sourcil perplexe.

— D'où sortent les photos de la brochure ?

— Il semblerait qu'elles datent des années soixante.

— Ça s'appelle de l'escroquerie, ni plus ni moins, décréta Eric, péremptoire.

Malgré tout, la maison parut leur plaire ; elle possédait même un charme un peu bohème, grâce aux fleurs et aux bougies disposées dans chaque pièce. Pascale proposa aux Morrison de leur laisser la chambre principale mais, devant le mal qu'elle s'était donné pour embellir la demeure, ces derniers refusèrent.

— J'avais tellement peur que vous m'en vouliez à mort, reconnut Pascale.

Ils rirent de bon cœur devant sa mine dépitée, puis John alla chercher une bouteille de vin dans la cuisine. Il s'immobilisa sur le seuil, frappé de stupeur. Agathe se tenait devant l'évier ; elle portait le haut de son bikini rouge avec un petit short blanc ultra moulant et, bien sûr, ses fameuses sandales à talons aiguilles. Une Gauloise vissée au coin des lèvres, elle le gratifia d'un sourire.

— *Bonjour,* lança John d'un ton hésitant.

Il avait appris ce mot pour faire bonne impression à la mère de Pascale, peu de temps avant leur mariage. Le sourire d'Agathe s'épanouit. L'instant d'après, Marius fit son apparition, talonné par sa meute de caniches.

— Doux Jésus, murmura John avant que les roquets se jettent sur le bas de son pantalon.

Marius se chargea de déboucher la bouteille de vin, pendant qu'Agathe disparaissait avec les chiens. Encore sous le choc, John rejoignit les autres à l'étage avec la bouteille et quatre verres.

— Je viens de croiser le chien des Baskerville et la sœur cachée de Tina Turner.

Pascale éclata de rire. Décelant de la morosité sur le visage de Diana, elle jeta un coup d'œil à Eric, mais ne vit rien de triste dans son expression. Peut-être pensait-elle à Anne ; leur amie avait tellement rêvé de ces vacances ! Elle y avait songé en arrivant, elle aussi, mais son emploi du temps ne lui avait guère laissé le loisir de sombrer dans la mélancolie. Robert penserait à sa femme en venant ici, c'était inévitable. Anne, avec son entrain et sa bonne humeur, leur manquait encore cruellement.

— Tu as vu le bateau ? s'enquit Eric tandis que John emplissait les verres.

Pascale baissa les yeux.

— Oui. Il doit dater de Robinson Crusoé. J'espère que vous pourrez vous en servir.

— Ne t'inquiète pas, on trouvera le moyen d'en faire quelque chose.

Il ponctua ses paroles d'un sourire à l'adresse de Diana, mais celle-ci demeura impassible. Pascale prépara le repas. Agathe avait déjà dressé la table dans la salle à manger ; elle proposa même de s'occuper du service, mais Pascale refusa poliment. Après le dîner, les hommes sortirent dans le jardin pour fumer un cigare, pendant qu'elles faisaient la vaisselle. Cédant à sa curiosité, Pascale leva sur son amie un regard interrogateur :

— Quelque chose ne va pas, Diana ? Déjà à New York, je te trouvais préoccupée et, apparemment, ça ne s'est pas arrangé. Tu te sens bien, chérie ?

Un long silence suivit sa question. Diana commença par acquiescer, puis elle secoua lentement la tête et se laissa tomber sur une chaise, tandis que des larmes perlaient à ses paupières. Incapable de contenir son chagrin, elle leva vers son amie un regard éploré.

— Mon Dieu, Diana... Qu'est-ce qui ne va pas... Je t'en prie, arrête de pleurer... Que se passe-t-il, ma chérie ? murmura Pascale en entourant ses épaules.

Diana essuya ses larmes avec le coin de son tablier. Les mots refusaient de sortir. En quête de réconfort, elle se laissa aller contre Pascale. Celle-ci fronça les sourcils, étreinte par l'angoisse. Jamais elle n'avait vu Diana dans un tel état.

— Tu es malade ?

Diana secoua la tête, incapable d'articuler le moindre son. Puis elle se moucha dans la serviette en papier que Pascale venait de lui donner.

— Ça ne va pas avec Eric ? risqua-t-elle encore, mais c'était pour elle une question de pure forme.

Le visage de Diana se décomposa et Pascale retint son souffle, sidérée. Puis son amie hocha lentement la tête.

— Non, je n'y crois pas ! Comment est-ce possible ?

— Je n'en sais rien, figure-toi, articula Diana d'une voix tremblante. Ça fait un mois que je lui pose exactement la même question.

Pascale secoua la tête à son tour.

— Que s'est-il passé ?

— Il a eu une liaison avec une de ses patientes, répondit Diana avant de se moucher.

D'une certaine manière, c'était un immense soulagement que de pouvoir se confier à Pascale. Elle n'en avait parlé à personne depuis qu'Eric avait reconnu son infidélité. C'était son vilain petit secret, bien enfoui au fond de son cœur.

— Tu es sûre que tu n'affabules pas ? Je n'arrive pas à le croire.

— C'est pourtant la triste vérité. Il me l'a dit lui-même. Je sentais bien que quelque chose ne tournait pas rond depuis environ deux mois, mais j'étais à mille lieues d'imaginer que... Toujours est-il qu'il m'a tout avoué, il y a un mois. Katherine a dû emmener son bébé aux urgences une nuit, le petit souffrait d'une bronchiolite. J'ai donc appelé Eric pour lui demander d'aller les accueillir, mais on m'a répondu qu'Eric n'était pas là, personne ne l'avait vu depuis qu'il avait quitté le service, en fin d'après-midi. Il avait quitté la maison dans la soirée, prétextant un accouchement difficile. Il m'avait même appelée pour me dire qu'il était coincé à l'hôpital, qu'il se rendrait directement au cabinet sans passer par la maison... La vérité m'a éclaté à la figure : il me mentait presque toutes les fois qu'il partait à l'hôpital, le soir.

— Eric ? fit Pascale dans un murmure.

A ses yeux, Eric avait toujours incarné le mari idéal : facile à vivre, plein d'humour, tendre et attentionné envers sa femme, père généreux et disponible.

— Est-ce que... est-ce qu'il est amoureux d'elle ?

— Il dit qu'il n'en est pas sûr. Il a rompu juste avant que nous partions — c'est du moins ce qu'il prétend — mais elle l'appelait tous les soirs à la maison. Je crois qu'il est profondément troublé. C'est une de ses patientes, tu comprends ; son mari l'a abandonnée tout de suite après la naissance de leur bébé. Il a sans doute eu pitié d'elle. Il dit que c'est une femme bien... Pour couronner le tout, elle doit être très jolie : elle est mannequin.

Une bouffée de compassion gonfla le cœur de Pascale. Son amie était anéantie. N'était-elle pas en train de vivre le pire cauchemar d'une épouse aimante et dévouée ?

— Quel âge a-t-elle ?

Diana laissa échapper un sanglot.

— Trente ans. Elle a l'âge de Katherine, tu te rends compte ? Je pourrais être sa mère ! J'ai l'impression de n'être plus bonne à rien. Eric serait sans doute plus heureux avec elle.

Elle marqua une pause avant de lever sur Pascale un regard paniqué.

— Je ne pourrai plus jamais lui faire confiance. Je ne sais même pas si j'aurai le courage de continuer à vivre avec lui.

Pascale écarquilla les yeux, horrifiée.

— Ne dis pas ça, enfin… Tu ne songes tout de même pas à divorcer, pas après toutes ces années de vie commune. Ce serait affreux. S'il a rompu avec elle, il faut tourner la page. Il finira par l'oublier, tu verras, conclut Pascale sur un ton qu'elle voulait convaincant.

— Peut-être, mais moi, en tout cas, je ne l'oublierai pas, déclara Diana. Chaque fois que je pose les yeux sur lui, je me sens trahie. Je le déteste pour ce qu'il me fait subir !

— Je te comprends, Diana. Mais ce sont des choses qui arrivent. D'ailleurs, ça aurait très bien pu t'arriver à toi. S'il ne voit plus cette femme, tu dois t'efforcer de lui pardonner. Je t'en prie, ne prends pas de décision précipitée. Un divorce serait un immense gâchis. Vous vous aimez, tous les deux.

— Vraisemblablement moins que ce que je croyais. Je parle pour lui, en tout cas.

Il n'y avait aucune compréhension dans son regard, seulement un mélange de colère, de peine et de déception.

— Que dit-il de tout ça, lui ?

— Il me supplie de lui pardonner. Il bat sa coulpe. Selon lui, cela ne se reproduira pas. Il aurait soi-disant regretté sa trahison le jour même où il l'a commise. Mais leur liaison a duré trois mois, Pascale, et ils se verraient encore si le bébé de Katherine n'était pas tombé malade, cette fameuse nuit. Peut-être m'aurait-il quittée pour vivre avec elle, acheva-t-elle d'une voix étranglée.

— Non, Eric est un homme intelligent.

Mais il était également séduisant, plein de fougue... et il côtoyait des femmes à longueur de journée. Tout était envisageable, même de la part d'un homme aussi responsable et réfléchi qu'Eric. L'immense souffrance qui assombrissait le regard de son amie lui tordait le cœur. Elle la trouva soudain très courageuse d'être venue à Saint-Tropez et lui fit part de son admiration.

Diana haussa les épaules.

— Je ne voulais pas venir, mais il m'a suppliée. Et maintenant, il dit qu'il ne pourra pas rester plus de deux semaines. Je ne vivrai plus s'il s'en va avant moi ; je ne pourrai pas m'empêcher de l'imaginer dans les bras de cette femme !

— Tu devrais essayer de le croire, s'il te dit que c'est fini.

Contre toute attente, Diana s'emporta.

— Pourquoi devrais-je le croire, tu peux me le dire ? Il m'a menti sur toute la ligne, Pascale. Je ne pourrai plus jamais lui faire confiance !

Pascale ne sut que répondre. L'idée qu'ils se séparent l'emplissait d'une angoisse indicible.

— Je ne sais pas encore ce que va devenir notre couple, reprit Diana. Ce ne sera plus jamais pareil pour moi, tu comprends. Je voulais contacter un avocat avant notre départ, mais Eric m'a persuadée d'attendre la fin des vacances. Je me demande bien ce que cela changera...

Elle s'interrompit quelques instants, avant de lever sur Pascale un regard chargé d'amertume. Cette dernière ne l'avait encore jamais vue sous ce jour, elle qui respirait d'ordinaire la joie de vivre et l'insouciance. Au sein de leur petit cercle, elle avait toujours considéré que Diana et Eric formaient le couple le plus uni, le plus amoureux, devançant même Anne et Robert, pourtant très proches l'un de l'autre. Et maintenant, Anne n'était plus là et Diana songeait au divorce... C'était tout simplement inconcevable !

— Resterais-tu avec John s'il te trompait ? demanda Diana sans ambages.

— Je ne sais pas comment je réagirais, répondit sincèrement Pascale. J'aurais très certainement des envies de meurtre, c'est sûr...

Séducteur dans l'âme, John parlait beaucoup des femmes, mais elle ne l'avait jamais soupçonné d'infidélité. C'était une image qu'il aimait se donner, rien de plus.

— Je crois, en tout cas, que je réfléchirais longuement avant de prendre une décision, reprit-elle en pesant ses mots. Je réapprendrais peut-être à lui faire confiance. Personne n'est à l'abri de ce genre d'écart, Diana.

— Ça, c'est typiquement français ! marmonna Diana avant de fondre de nouveau en larmes.

— Les Français ont peut-être raison dans ce domaine, murmura Pascale. Réfléchis bien, avant de prendre une décision que tu seras peut-être amenée à regretter.

Les yeux de Diana étincelèrent de rage.

— C'est lui qui aurait dû réfléchir avant de coucher avec cette fille !

— Tu en as parlé à quelqu'un d'autre ? demanda Pascale.

— Non, tu es la seule à être au courant. J'ai trop honte… Ça peut paraître bizarre, je sais, mais c'est ainsi. Je me sens moche et vieille, j'ai l'impression que c'est ma faute s'il est allé voir ailleurs, avoua-t-elle entre deux hoquets.

— Diana, cesse de te torturer. C'est lui le coupable, dans l'histoire. Il a commis une énorme bêtise. Je suis sûre qu'il s'en veut à mort, fit Pascale en s'efforçant de se montrer loyale envers ses deux amis. Tu veux que je te dise ? Je suis heureuse que tu aies décidé de venir, c'est très courageux de ta part.

Diana esquissa un sourire sans joie.

— Je ne voulais pas vous laisser tomber, John et toi. Et puis il y a Robert ; ce sera dur pour lui aussi de venir ici, certainement plus dur que pour moi. Je me suis sentie redevable envers lui. C'est peut-être idiot, mais c'est davantage pour lui que pour Eric que je suis ici aujourd'hui…

— J'espère quand même que ce séjour vous fera du bien à tous les deux, déclara Pascale avec détermination.

Diana se mordit les lèvres. Des larmes baignaient encore son visage.

— J'ai peur de ne jamais pouvoir lui pardonner.

— C'est encore trop tôt. Laisse le temps faire son œuvre, fit Pascale avec sagesse.

Elle serra son amie dans ses bras et elles restèrent ainsi, sans mot dire. Au bout d'un moment, elles regagnèrent le salon. Les hommes ne tardèrent pas à les rejoindre et, soudain, le fossé qui s'était creusé entre Diana et Eric parut évident. On eut dit qu'ils s'étaient perdus, tous les deux. Pascale sentit son cœur se serrer. Quel gâchis, après tout ce temps passé ensemble, à s'aimer tendrement !

Sa tristesse n'échappa pas à John, qui la dévisagea d'un air perplexe dès qu'ils furent seuls dans leur chambre.

— Que se passe-t-il, Pascale ? Quelque chose ne va pas ?

— Non, rien, j'étais juste en train de réfléchir, mentit Pascale.

Par respect pour Diana, elle ne dirait rien à son mari. Ce n'était pas le genre de chose qu'on raconte volontiers, même à ses proches, et elle aurait eu l'impression de trahir la confiance de son amie.

John la dévisagea avec attention.

— A quoi ? insista-t-il, visiblement inquiet.

— Oh, à des bêtises. Au menu de demain.

— Je ne te crois pas. C'est grave ?

— Un peu, oui.

— Alors je crois savoir de quoi il s'agit. Eric vient de me dire que son couple n'allait pas très fort en ce moment, déclara John avec gravité.

— T'a-t-il expliqué pourquoi ?

— Non. Tu sais, les hommes entrent rarement dans les détails. Il semblerait juste que Diana et lui rencontrent quelques difficultés passagères.

Pascale se rembrunit. Oubliant ses résolutions, elle se confia à son mari.

— Elle veut divorcer, John. Ce serait terrible, pour eux deux.

— A cause d'une autre femme ? demanda son mari sans la quitter des yeux.

Elle hocha la tête et le visage de John s'assombrit.

— Il dit que tout est fini, mais Diana craint de ne jamais pouvoir lui pardonner. La pauvre est effondrée.

— J'espère sincèrement qu'ils trouveront un terrain d'entente, déclara John. Ils vivent ensemble depuis trente-deux ans, ce n'est pas rien, tout de même.

D'ordinaire bourru et peu démonstratif, il la prit dans ses bras en l'enveloppant d'un regard plein de tendresse.

— Tu m'as manqué.

— Toi aussi, tu m'as manqué, murmura Pascale en se blottissant contre lui.

Il déposa sur ses lèvres un baiser empreint d'une infinie douceur. Puis il éteignit la lumière et l'enlaça avec davantage de fougue. Cela faisait six semaines qu'ils ne s'étaient pas vus, c'était une longue séparation pour n'importe quel couple, mais il savait à quel point Pascale tenait à son séjour annuel en France. C'était une manière pour elle de se ressourcer.

Après avoir fait l'amour, ils restèrent un long moment blottis l'un contre l'autre. La pleine lune baignait leur chambre d'une clarté opalescente. Quand John s'endormit enfin, Pascale contempla son visage détendu. Quelle serait sa réaction s'il la trompait comme Eric avait trompé Diana ? Elle serait aussi accablée que son amie. Elle continua à regarder John, submergée par une vive émotion. Comme elle était heureuse de l'avoir auprès d'elle ! Il était l'homme qu'elle désirait et qu'elle aimait de tout son cœur. L'homme dont elle avait toujours rêvé.

7

Le lendemain matin, Pascale était en train de préparer le petit déjeuner quand John fit irruption dans la cuisine, l'air contrarié. Agathe surgit derrière lui, arborant un bikini imprimé léopard et des sandales à talons compensés. Coiffée d'un Walkman, elle chantait à tue-tête, une poubelle à la main. John se figea, médusé. Pascale continua à battre les œufs, totalement indifférente au look extravagant de son employée. Elle avait eu le temps de s'y habituer, en trois jours.

— La chasse d'eau fuit ! s'écria finalement John en brandissant une espèce de tige en cuivre. Que dois-je faire, à ton avis ?

Pascale haussa les épaules.

— Je ne sais pas. Débrouille-toi, je suis en train de faire la cuisine. Tu n'as qu'à demander à Marius de te donner un coup de main, suggéra-t-elle comme son mari continuait à agiter frénétiquement la poignée métallique.

John leva les yeux au ciel, exaspéré.

— Où se cache-t-il ? Et comment vais-je lui expliquer mon problème ?

— Tu n'as qu'à l'emmener aux toilettes, répondit Pascale en faisant de grands signes à l'adresse d'Agathe qui daigna enfin retirer son casque.

Pascale lui expliqua brièvement le problème. Agathe ne parut pas surprise ; elle prit juste la tige et s'en alla trouver son mari de sa démarche chaloupée. Marius arriva quelques minutes plus tard, armé d'un seau, d'une serpillière et d'un déboucheur. Il portait un short et un tee-shirt en maille filet... et souffrait apparemment d'une sévère gueule de bois.

Ce n'était pas grave du tout, leur expliqua Agathe, ça arrivait très souvent mais, au moment où elle prononçait ces paroles, un filet d'eau se mit à dégouliner du plafond. John et Pascale levèrent les yeux, stupéfaits. Sans mot dire, ce dernier retourna en courant sur les lieux de la catastrophe. Marius lui emboîta le pas sans se presser. Quant à Agathe, elle replaça les écouteurs sur ses oreilles et se remit à chanter en terminant de mettre la table.

Eric et Diana firent leur apparition. En apercevant Agathe en tablier et bikini léopard, Eric haussa un sourcil dubitatif.

— Ça, c'est du spectacle, murmura-t-il en examinant la femme de ménage du coin de l'œil.

Diana éclata de rire.

— Elle est toujours comme ça ?

Pascale éteignit le feu et se tourna vers elle en souriant. A son grand soulagement, ils paraissaient tous deux plus détendus que la veille.

— A quelques variantes près, oui. Elle est parfois moins couverte, d'autres fois un peu plus, mais la tenue de base reste inchangée. En tout cas, elle travaille bien. Elle m'a beaucoup aidée avant votre arrivée.

— C'est plutôt chouette, en tout cas, déclara Eric en prenant une pêche mûre à souhait dans la coupe de fruits. Est-ce normal qu'il pleuve dans la cuisine ? reprit-il en levant les yeux vers le filet d'eau qui tombait du plafond.

— John est venu nous prévenir que la chasse d'eau fuyait.

Imperturbable, Eric hocha la tête, et Pascale servit les œufs brouillés. John les rejoignit un peu plus tard, paniqué.

— Il y a cinq centimètres d'eau dans la salle de bains. J'ai demandé à Marius de couper l'eau jusqu'à l'arrivée du plombier.

Les yeux de Pascale s'arrondirent de surprise.

— Comment diable as-tu réussi à lui dire tout ça ?

En vingt-cinq années de mariage, il avait à peine prononcé dix mots de français à l'adresse de sa mère — principalement *bonjour, au revoir* et *merci* — quand la nécessité l'imposait.

— J'adorais jouer aux charades, quand j'étais au lycée, répondit-il en attaquant les œufs d'un bon appétit.

Marius entra dans la pièce et plaça un seau sous la fuite d'eau qui devenait de plus en plus forte. Impassible, il disparut de nouveau, Agathe sur les talons.

— As-tu bien dormi ? demanda Pascale à Eric en remplissant quatre tasses de café noir.

Il jeta un coup d'œil à Diana.

— Comme un bébé.

Une tension presque palpable régnait entre eux. Ils s'adressaient à peine la parole et Diana évitait délibérément de croiser le regard de son mari. Dès qu'ils eurent terminé leur petit déjeuner, Pascale proposa à son amie d'aller au marché. John préférait rester à la maison pour voir le plombier, et Eric annonça son intention d'aller inspecter le voilier.

Le temps était magnifique. Diana et Pascale bavardèrent librement sur la route du marché. Pascale fit observer qu'Eric se montrait particulièrement doux et conciliant. Diana hocha la tête, avant de se tourner vers la vitre.

— C'est vrai, mais je ne suis pas sûre que ça change quoi que ce soit.

— Attends de voir comment vont se dérouler les vacances ; ça ne peut que vous faire du bien de vous retrouver dans un cadre différent.

— Et après, que se passera-t-il ? On fait comme s'il ne s'était rien passé, on oublie tout et on tourne la page ? Désolée, Pascale, je ne m'en sens pas capable.

— Je crois que je réagirais comme toi, avoua Pascale. Je lui en voudrais à mort si John me faisait un truc pareil. D'un autre côté, tu seras bien obligée de lui pardonner si tu veux sauver ton mariage.

— Je ne suis pas encore sûre de vouloir le sauver, déclara Diana d'une voix blanche.

Pascale hocha la tête sans rien dire. Elles arrivèrent bientôt au marché et passèrent deux bonnes heures à flâner dans les allées bigarrées. Elles achetèrent du pain, du fromage, des fruits, du vin, un assortiment de pâtés et de terrines et une tarte aux fraises délicieusement appétissante. De retour à la maison, elles trouvèrent Eric et John en train de paresser dans des transats, heureux et détendus. Le plombier était venu réparer les toilettes, annonça John en tirant sur son cigare. Mais à peine était-il parti que celles d'Eric et Diana se mettaient à fuir à leur tour. Marius était en train d'essayer de les réparer.

— Je ne crois pas qu'on devrait acheter cette maison, déclara Eric, pince-sans-rire.

— Ça, c'est un scoop, plaisanta John. J'espère que tu n'as pas dépensé trop d'argent au marché, ajouta-t-il en brandissant son cigare en direction de sa femme.

— Bien sûr que non, quelle idée ! J'ai eu un prix très intéressant pour un assortiment de fromages périmés, du pain rassis et des fruits talés. C'était vraiment une affaire, crois-moi !

— Très drôle, marmonna John en aspirant une nouvelle bouffée.

Ils déjeunèrent sur la terrasse, puis allèrent nager un peu. Eric proposa ensuite à Diana d'aller voir le bateau. D'abord réticente, elle finit par le suivre. Pascale était remontée à la maison pour faire une sieste et John avait disparu quelques minutes plus tard. Il n'y avait donc rien d'autre à faire…

Lorsque les Donnally émergèrent de leur chambre en fin d'après-midi, Eric et Diana s'adressaient de nouveau la parole. Même si tout n'était pas encore merveilleux, ils paraissaient moins tendus.

Pour le dîner, Pascale prépara des pigeonneaux selon une recette de sa mère. Puis ils dégustèrent la tarte aux fraises qu'elles avaient achetée au marché, et burent un café. Ils restèrent un long moment à table, bavardant avec animation. Robert arrivait le lendemain. Diana demanda à Pascale si elle en savait davantage sur le mystérieux ami que ce dernier désirait inviter.

— Je n'ai pas eu de nouvelles de Robert depuis mon départ, répondit Pascale. Il nous en dira plus quand il sera là. Mais je ne pense pas que ce soit l'actrice, ils se connaissent à peine. Si tu veux mon avis, on s'est mis martel en tête pour rien.

— J'espère que tu as raison, fit Diana d'un ton empreint de gravité.

Sous le coup de la trahison d'Eric, elle n'accepterait aucune incartade et semblait plus que jamais décidée à protéger Robert, pour son salut et par respect pour leur amie disparue. S'il leur annonçait qu'il avait bel et bien invité Gwen Thomas, elle n'hésiterait pas à lui dire qu'il s'engageait sur une mauvaise voie, qu'il devait absolument rester sur ses gardes. Un homme comme lui ne pouvait pas s'amouracher d'une actrice ; ce n'était certainement pas le genre de femme qui pouvait le rendre heureux.

Robert arriva le lendemain avec sa fille Amanda. A peine sortis de leur voiture de location, ils contemplèrent la maison d'un air surpris. Amanda portait un tee-shirt et un jean blancs ; elle était coiffée d'un chapeau de paille. Vêtu d'une chemise en cotonnade bleue et d'un pantalon de toile beige, Robert incarnait l'élégance décontractée.

— C'est drôle, les photos m'en avaient laissé un autre souvenir, murmura-t-il. Je perds la tête ou est-ce que la maison est légèrement plus rustique ?

— Beaucoup plus rustique, tu veux dire, approuva Pascale tandis que John lui adressait un regard amusé.

— Et tu n'as pas encore vu la femme de ménage et le jardinier, ajouta-t-il. Mais on nous a remboursé la moitié de la location, alors ça vaut le coup.

Robert haussa les sourcils.

— Pourquoi nous ont-ils remboursés ?

— Parce qu'ils nous ont arnaqués. Nous sommes en France, mon vieux, à quoi t'attendais-tu ?

Pascale le fusilla du regard, mais il n'y prêta aucune attention.

— Quand Pascale est arrivée, reprit-il, elle s'est crue dans *La Chute de la Maison Usher*. Il lui a fallu deux jours entiers pour tout nettoyer ; c'est tout à fait vivable maintenant. Evite juste de tirer la chasse d'eau et ne t'attends pas à trouver un décor de magazine.

Robert hocha la tête, visiblement amusé par la description de son ami.

— On ne peut pas utiliser les toilettes ? s'enquit Amanda avec une pointe de panique dans la voix.

Pascale réprima un sourire. Anne répétait souvent que sa fille était une enfant gâtée et capricieuse.

— Bien sûr que si, répondit John, rassurant. Il faut juste y aller avec des bottes en caoutchouc.

Le visage de la jeune femme se décomposa.

— Oh, mon Dieu… Nous devrions peut-être chercher un hôtel…

— Nous sommes là depuis deux jours, Amanda, et nous nous en sortons très bien, rassure-toi, intervint Diana. Suis-moi, je vais te montrer ta chambre.

Amanda ne parut pas emballée par la pièce qu'on avait préparée à son attention. Selon elle, il y flottait une odeur de moisi et la tuyauterie gargouillait bizarrement dans la salle de bains. Elle faisait partie de ces personnes qui ne se sentent jamais vraiment à l'aise quand elles ne sont pas chez elles.

— Attends, je vais ouvrir la fenêtre, proposa Diana. Il suffit d'aérer un peu et il n'y paraîtra plus.

Mais lorsqu'elle s'exécuta, la fenêtre sortit de ses gonds et tomba dans le jardin.

— Le jardinier viendra la réparer, assura-t-elle en s'efforçant de ne pas rire devant l'expression horrifiée de la jeune fille.

Après l'incident, Amanda s'empressa d'aller confier ses doutes à son père. Cette maison était pleine de dangers... sans compter les araignées et les moustiques qui devaient s'y tapir... Amanda avait horreur de ces bestioles.

— On devrait prendre une chambre au Byblos, papa, suggéra-t-elle en rêvant déjà de séjourner dans le meilleur établissement de Saint-Tropez.

Une de ses amies y était descendue l'année précédente et elle avait été enchantée de son séjour. Mais son père ne voulut rien entendre.

— Nous serons très bien ici, déclara-t-il sur un ton qu'il voulut rassurant. Ce sera amusant, tu verras. C'est plus drôle que l'hôtel, en tout cas. Et puis j'ai envie de profiter de mes amis.

Eric lui avait déjà dit que le petit voilier était fiable et il brûlait d'envie de partir en balade.

— Je vais peut-être avancer mon départ pour Venise, annonça Amanda.

— Comme tu voudras, fit Robert en s'exhortant au calme.

Anne s'était toujours montrée d'une patience infinie avec leur fille, contrairement à lui qui avait une fâcheuse tendance à s'emporter dès qu'Amanda faisait des histoires inutilement. A l'évidence, cette dernière préférait le confort luxueux au charme rustique ! Mais à son âge elle pouvait tout de même faire quelques concessions... Pour sa part, il se sentait parfaitement à l'aise dans cette villa décrépite, au charme délicieusement désuet. Pascale n'avait pas caché son soulagement quand il lui avait confié ses impressions. La pauvre se sentait tellement coupable ! Heureusement, tout le monde avait bien accepté la situation.

En fin d'après-midi, Amanda monta se reposer dans sa chambre avec un livre. Elle venait de s'allonger, quand le lit s'effondra sous elle. Alertée par un cri d'effroi, Pascale vint voir ce qui s'était passé... et éclata de rire en découvrant le lit aplati comme une crêpe et Amanda qui tentait de se redresser, l'air hébété.

— Oh mon Dieu, je vais demander à Marius d'arranger ça tout de suite.

Pour une fois, Marius arriva rapidement et se mit en devoir d'inspecter les pieds du lit. Deux d'entre eux avaient cassé net sous le poids d'Amanda ; apparemment, ils avaient été recollés à plusieurs reprises et ils refusèrent de coopérer une nouvelle fois. En désespoir de cause, la jeune fille se résigna à dormir sur le matelas posé à même le sol, et ce malgré sa phobie des araignées et des insectes en général. Bien qu'elle semblât prendre la situation avec détachement, il était clair qu'elle n'avait pas l'intention de s'attarder dans cette maison délabrée. Ses amis l'attendaient à Venise, elle irait certainement les rejoindre plus tôt que prévu.

Marius rangea sa caisse à outils et quitta la pièce dans des vapeurs alcoolisées, après qu'Amanda l'eut remercié de son aide.

— C'est un brave type, fit observer John un peu plus tard dans la soirée. Et sa femme est une vraie perle. Vous allez adorer son look, lança-t-il d'un ton espiègle à l'adresse de Robert et de sa fille.

Agathe ne tarda pas à faire son apparition, vêtue d'un corsage en dentelle blanc qui ne cachait rien de son soutien-gorge noir et d'un short minuscule qui couvrait à grand-peine ses fesses. Amanda ne put s'empêcher de rire sous cape, tandis que son père affichait une expression offusquée.

— Je la trouve plutôt mignonne, railla John avant d'ajouter : Et vous ne l'avez pas encore vue en bikini léopard ou en cycliste rose fluo…

Cette fois, Robert rit de bon cœur. Il avait passé un bon après-midi sur le bateau et il devait bien admettre que cette vieille maison rafistolée lui plaisait beaucoup. C'était un peu comme partir à l'aventure. Anne aurait adoré, il n'en doutait pas un instant. Elle avait toujours été plus téméraire que sa fille, citadine invétérée.

Quand Pascale voulut vérifier la cuisson des poulets qu'elle avait mis à rôtir pour le dîner, la porte du four lui resta dans les mains. Habile et plein de ressources, Eric réussit à la réparer avec du fil de fer, et tous applaudirent son ingéniosité.

Le lendemain, Amanda proposa de nouveau à son père de prendre une chambre à l'hôtel Byblos. Les épisodes cocasses qu'elle avait vécus la veille ne l'avaient pas convaincue de s'attarder à la villa.

— Non, Mandy, commença Robert d'un ton à la fois posé et ferme. Je me plais bien ici et j'apprécie la compagnie de mes amis.

C'était sans doute moins drôle pour elle, bien sûr. Il n'y avait personne de son âge avec qui elle aurait pu bavarder, sortir en discothèque, faire du ski nautique. Contrairement à ses frères, passionnés de voile, Mandy n'aimait pas beaucoup les bateaux.

— Je comprends que ce soit moins amusant pour toi, chérie, reprit-il, sensible à la déception de sa fille. La maison n'a rien d'un palace et...

— Je suis heureuse de passer un peu de temps avec vous tous, papa, coupa Mandy avec sincérité. Ce n'est pas ça...

— Chut... Si tu veux avancer ton départ pour Venise, vas-y sans crainte ; je t'assure que je ne serai pas vexé.

Mandy se contenta de le gratifier d'un sourire reconnaissant.

Cet après-midi-là, Robert suggéra à sa fille d'aller faire les boutiques à Saint-Tropez pour se changer les idées. Heureuse coïncidence, elle rencontra un de ses amis qui passait ses vacances non loin de là, à Ramatuelle. Ce charmant jeune homme passa la chercher dans la soirée pour l'emmener dîner.

Le reste du groupe avait réservé une table au Chabichou, sur les conseils d'Agathe. Ils partirent à deux voitures, de joyeuse humeur. Eric et Diana, plus taciturnes, se séparèrent pour le trajet. Heureusement, l'atmosphère du restaurant les dérida un peu. Le cadre était superbe, la cuisine exquise.

Ils étaient encore à table à 23 heures, repus et détendus. A eux cinq, ils avaient bu trois bouteilles de vin. Même Diana et Eric paraissaient plus gais, bien qu'ils aient pris leurs distances et qu'ils ne se soient pas adressé la parole de la soirée. En pleine conversation avec Pascale, Robert annonça l'arrivée d'une personne de sa connaissance le lundi suivant. Amanda avait prévu de partir au cours du week-end, peut-être même avant.

Sa curiosité piquée au vif, Pascale s'efforça de prendre un ton dégagé pour demander :

— C'est quelqu'un que nous connaissons ?

— Je ne crois pas, non. C'est une personne que j'ai rencontrée il y a deux mois, au cours d'une soirée à laquelle m'avait invité Mandy.

Les pupilles de Pascale se rétrécirent. Et s'il s'agissait bel et bien de cette actrice... ? Déjà, Robert reprenait :

— Oh, tu connais sans doute son nom et son visage. C'est une femme très sympathique, très chaleureuse. Elle séjourne chez des amis à Antibes et j'ai pensé que cela vous plairait de faire sa connaissance.

Pascale chercha ses mots, tiraillée entre sa curiosité dévorante et ses bonnes manières.

— Que... que représente-t-elle pour toi ?

— Nous sommes amis, rien de plus, répondit-il simplement avant de s'apercevoir que toute la tablée était suspendue à ses lèvres. C'est une actrice. Elle s'appelle Gwen Thomas... Elle a remporté un oscar, l'an dernier.

Assise en face de lui, Diana lui lança un regard ouvertement réprobateur.

— Pourquoi diable aurait-elle envie de venir passer quelques jours avec nous ? Nous sommes des gens très ordinaires, sans compter que la maison n'a rien de folichon. Tu tiens vraiment à l'inviter, Robert ?

Sa question plana quelques instants entre les convives, lourde de sens et de reproches à demi voilés. Ils n'avaient aucune envie d'accueillir une « intruse » parmi eux, encore moins une actrice probablement arrogante et capricieuse ! Elle serait capable de leur gâcher leurs vacances... et de briser le cœur du pauvre Robert, par la même occasion. Mais celui-ci ne se laissa pas démonter.

— C'est quelqu'un de très bien, je suis sûr qu'elle vous plaira.

Les hommes opinèrent du chef, intrigués, tandis que les femmes fronçaient les sourcils, hostiles.

— Combien de temps compte-t-elle rester ?

— Quelques jours, une semaine tout au plus. Elle commence bientôt le tournage d'un nouveau film à Los Angeles et elle avait envie de se reposer un peu avant de se remettre au travail. J'ai pensé que ce serait relaxant pour elle, expliqua-t-il d'un ton presque paternel. Je crois qu'Anne serait tombée sous le charme. Elles ont de nombreux points communs, toutes les deux. Gwen partage les mêmes goûts

153

littéraires et musicaux, elle aime les mêmes pièces de théâtre...

Pascale adressa un regard inquiet à son mari et Diana jeta un coup d'œil à Eric. Elles n'arrivaient pas à croire qu'ils soient de simples « amis ». L'actrice avait probablement jeté son dévolu sur Robert, si doux et si généreux. Si incroyablement naïf !

Comme le silence se prolongeait, Eric demanda l'addition ; chacun régla sa part, tandis que John disséquait minutieusement la note, à l'affût d'une hypothétique erreur. A ses yeux, les restaurateurs étaient tous des escrocs, et il recalculait systématiquement toutes les additions, provoquant la fureur de Pascale qui avait souvent juré de ne plus jamais sortir avec lui. Mais ce soir-là, trop perturbée par l'arrivée imminente de Gwen Thomas, elle ne prêta aucune attention à son harpagon de mari. Elle n'arrivait pas à croire que Robert se soit entiché d'une femme, si peu de temps après la disparition d'Anne. D'une actrice, de surcroît !

— Allons-y ! lança Robert avec entrain.

Ils reprirent les voitures ; Pascale, Diana et John firent la route ensemble, et les deux femmes parlèrent avec animation de leur plan d'action pour « protéger » Robert.

— Pourquoi ne laissez-vous pas une chance à cette pauvre fille ? demanda soudain John, effaré par la virulence de ses compagnes.

Sa question ne fit qu'attiser la détermination des deux amies. Robert était encore vulnérable, elles s'inquiétaient pour lui. Il était de leur devoir de le protéger de cette femme qui, toujours selon elles, ne le méritait pas.

Une fois rentrés, ils se souhaitèrent bonne nuit et gagnèrent leurs chambres. Amanda était déjà couchée. Allongée dans son lit, Pascale songea au cauchemar qu'ils s'apprêtaient à vivre. Puis elle se tourna vers John, prise de panique.

— Et les paparazzi ?

Son mari posa sur elle un regard perplexe.

— Pardon ? Je ne suis pas sûr de t'avoir suivie, Pascale.

— Enfin, John, les paparazzi ! Les photographes... ils seront partout, si cette femme décide de séjourner ici. Nous pourrons dire adieu à notre belle tranquillité, conclut-elle d'un air contrarié.

— Désolé, mais nous ne pourrons pas y faire grand-chose. J'imagine qu'elle a appris à gérer ce genre de situation.

Il marqua une pause avant de reprendre, pince-sans-rire :

— Je dois avouer que je suis très surpris qu'il l'ait invitée ici, surtout avec Diana et toi qui ne le lâchent pas d'une semelle.

— Tu te trompes, objecta Pascale. Nous veillons simplement sur lui. De toute façon, je doute qu'elle reste plus d'une journée en découvrant notre bicoque, ajouta-t-elle, pleine d'espoir. Ou bien elle battra en retraite quand elle comprendra que nous ne sommes pas dupes. Robert est bien le seul candide de la bande...

John ne put s'empêcher de rire.

— Pauvre Robert ! Ça ne sera jamais facile pour nous de le voir avec une autre femme qu'Anne, murmura-t-il, pensif. Ce sera un peu comme une intruse, dans notre cœur. D'un autre côté, il est assez grand pour savoir ce qu'il fait. On ne peut tout de même pas lui demander de rester seul jusqu'à la fin de ses jours, par respect pour la mémoire de sa défunte épouse ! Ouvre les yeux, Pascale : si cette fille lui plaît, de quel droit t'opposerais-tu à leur relation ? Elle est jeune et belle, il apprécie sa compagnie. Il aurait pu tomber plus mal, crois-moi.

— Tu as perdu la tête ou quoi ? s'offusqua Pascale. A moins que ce ne soit le vin qui embrume tes idées... C'est une actrice, à la fin ! Robert va se faire manger tout cru s'il ne prend pas garde !

John considéra sa femme d'un air surpris. C'était la première fois qu'elle tenait des propos aussi radicaux. Avec ses yeux brillants et ses joues rosies, elle ressemblait à Jeanne d'Arc investie d'une nouvelle mission !

— Je comprends tes inquiétudes, Pascale, mais je ne pense pas que nous ayons le droit d'interférer dans la vie privée de Robert. Je te répète qu'il sait ce qu'il fait. Après tout, ce ne sont peut-être que des amis... Et même s'il est amoureux d'elle, qu'est-ce que cela peut faire ? Pauvre Robert, je le plains sincèrement.

John s'abstint d'ajouter qu'il l'enviait aussi d'être l'ami — et peut-être davantage — d'une des plus grandes stars de Hollywood. Il y avait des destins bien plus misérables que le sien !

— Moi aussi, je le plains, renchérit Pascale. Il ne connaît rien aux femmes d'aujourd'hui. Nous devons à tout prix le protéger. Amanda serait catastrophée si elle apprenait la nouvelle.

— Ce n'est pas à nous de la mettre au courant, déclara John d'un ton ferme.

— Elle finira bien par découvrir la vérité.

— Je t'en prie, Pascale, Robert a le droit de se détendre un peu, après le traumatisme qu'il a vécu.

— Pas avec n'importe qui, objecta Pascale.

John émit un grognement.

— Cette fille n'est pas n'importe qui ! Dois-je te rappeler qu'elle fait partie des actrices les plus célèbres des Etats-Unis ?

— Justement, fit Pascale, triomphante. C'est exactement pour cette raison que nous devons redoubler de vigilance. Les célébrités sont toutes un peu bizarres.

Un sourire flotta sur les lèvres de John.

— Pauvre Robert, répéta-t-il à mi-voix avant de fermer les yeux.

Lorsqu'il sombra dans le sommeil, un moment plus tard, blotti contre Pascale, John eut une dernière pensée pour son ami. Malgré les réserves de sa femme, l'aventure que Robert était en train de vivre lui paraissait plutôt excitante…

8

Le reste de la semaine s'écoula paisiblement, entre les dîners sur la terrasse ou au restaurant, les séances de bronzage à la plage, les baignades et les balades en bateau. Mandy partit le samedi. Finalement, Robert et sa fille avaient passé d'agréables moments ensemble. Il lui avait vaguement confié qu'il avait invité une personne de son entourage à passer quelques jours avec eux, et Mandy s'en était réjouie, rassurée de le savoir entouré d'amis. Dans le tourbillon d'activités qui précéda son départ, elle ne songea pas à en savoir davantage, persuadée qu'il s'agissait d'une vieille connaissance, voire d'un collègue juriste.

Le dimanche soir, une espèce d'excitation latente envahit la maisonnée. Gwen Thomas arrivait le lendemain. Robert se réjouissait de l'accueillir parmi eux, totalement inconscient de l'hostilité que Diana et Pascale nourrissaient à son égard sans même la connaître. Ambitieuse, égocentrique, divorcée et sans enfant... L'actrice cumulait à leurs yeux tous les défauts de la terre, justifiant ainsi les actions qu'elles comptaient mener pour sortir Robert de ses griffes.

Gwen appela le lundi matin pour prévenir Robert

qu'elle arriverait en voiture, à l'heure du déjeuner. Ils imaginaient déjà la voir sortir d'une somptueuse limousine noire conduite par un chauffeur en livrée. Marius avait finalement réussi à réparer le lit dans la chambre de Mandy mais tous, excepté Robert, souhaitaient presque qu'il s'effondre à nouveau. On aurait dit des gamins en colonie de vacances ou en pensionnat, impatients de jouer de vilains tours à la petite nouvelle.

Indifférent à la tension qui régnait au sein du groupe, Robert alla se doucher avant l'arrivée de Gwen. Puis il revêtit un bermuda blanc, un polo de la même couleur et chaussa une paire de sandales en cuir beige. Avec son teint hâlé et son air serein, il était très séduisant et paraissait plus jeune et plus dynamique que jamais.

Pascale proposa de commencer à manger sans elle. Mais Robert décida de l'attendre ; il l'emmènerait déjeuner dans une petite brasserie, si elle avait faim.

Pascale était en train de préparer le repas quand elle entendit un bruit de moteur dans l'allée. Jetant un coup d'œil par la fenêtre, elle vit une 2 CV s'arrêter devant la maison. L'instant d'après, une ravissante jeune femme rousse mit pied à terre. Elle portait une minijupe en jean, un tee-shirt blanc et des sandales plates. Simple et naturelle, elle donnait une impression de fraîcheur extraordinaire. Ses longs cheveux étaient noués en tresse ; l'espace d'un instant, Pascale lui trouva un petit air de ressemblance avec Mandy. Cette femme était très belle, en tout cas. Soudain, le cœur de Pascale fit un bond dans sa poitrine. C'était Gwen Thomas ! Sans limousine, sans chauffeur et sans paparazzi ! Gwen regarda autour d'elle. Un grand fourre-tout en paille pendait à son épaule et elle tenait dans l'autre main une petite valise toute simple. A contrecœur, Pascale demanda à Marius d'aller l'aider. Au même moment, Robert sortit de la maison ; il avait dû guetter son arrivée depuis sa chambre, à l'étage.

Le visage de Gwen s'illumina dès qu'elle l'aperçut. Elle avait un sourire éblouissant, un teint de rêve et des jambes somptueuses, remarqua Pascale en la détaillant de la tête aux pieds. Elle remonta l'allée au côté de Robert, visiblement heureuse d'être arrivée. Quelques secondes plus tard, ils entraient dans la cuisine et Pascale se retrouva nez à nez avec celle qu'elle considérait déjà comme une ennemie. Tout sourire, Robert fit les présentations.

— Je suis ravie de faire votre connaissance, mentit Pascale. Nous avons beaucoup entendu parler de vous.

— Moi aussi, répondit Gwen avec entrain. Vous devez être Pascale. C'est vous qui avez trouvé la maison, n'est-ce pas ? ajouta-t-elle en lui serrant la main, indifférente à l'accueil plutôt froid que celle-ci lui réservait.

Gwen s'avéra chaleureuse, ouverte et naturelle. Elle proposa de monter elle-même ses bagages dans sa chambre, mais Robert pria Marius de s'en charger. Elle offrit alors son aide à Pascale et alla se laver les mains dans l'évier, prête à se mettre au travail.

— Je... c'est-à-dire que... non, ça va aller, je vous remercie, bredouilla Pascale.

Robert et Gwen restèrent malgré tout dans la cuisine avec Pascale. Robert raconta dans les moindres détails tout ce que cette dernière avait fait pour leur rendre la maison agréable.

— L'agence devrait nous payer pour le travail que Pascale a abattu ici, plaisanta-t-il en gratifiant celle-ci d'un sourire affectueux.

— Quelle excellente idée ! s'exclama John qui venait d'arriver.

Il s'immobilisa en apercevant la nouvelle venue. Il lui fallut quelques instants avant de reconnaître Gwen Thomas ; il ne l'imaginait pas si simple, si fraîche, si… séduisante. Force était de reconnaître qu'elle ne paraissait pas ses quarante et un ans. En l'examinant plus attentivement, il fut incapable de déceler, sous ce visage pur et serein, la créature froidement calculatrice que Pascale et Diana voyaient en elle. D'ailleurs, son épouse semblait elle-même troublée par le charme sans prétention de l'actrice.

Dix minutes plus tard, le repas était servi. Les Morrison les rejoignirent enfin et eux aussi parurent surpris par la simplicité et la chaleur de Gwen. Mais une actrice de son talent était bien placée pour tromper son entourage, songea Diana en se ressaisissant.

Après avoir apporté plusieurs plats, Gwen s'attabla avec eux. Elle les avait aidés spontanément, sans la moindre hésitation. Robert l'avait invitée au restaurant, mais elle avait refusé gentiment, arguant qu'elle préférait déjeuner avec ses amis. Il lui avait tellement parlé d'eux qu'elle avait hâte de mieux les connaître ! A ces mots, Pascale et Diana échangèrent un regard complice. Malgré son apparence lisse et sympathique, Gwen continuait de représenter un danger, à leurs yeux.

Pendant le déjeuner, Robert lui demanda comment s'était passé son séjour à Antibes. Elle s'était bien amusée et s'était surtout beaucoup reposée sur la plage, un bon livre à la main.

— Qu'as-tu lu ? demanda-t-il avec intérêt tandis que les autres suivaient la conversation, captivés.

C'était presque surréaliste de se trouver à table avec elle, de parler de la pluie et du beau temps, alors qu'ils l'avaient si souvent vue sur un écran de cinéma. Gwen se mit à énumérer les titres et les auteurs des romans qu'elle avait lus récemment. Pascale et Diana avaient dévoré les mêmes livres qu'elle...

— J'espère toujours trouver un bon scénario dans les romans que je lis, expliqua-t-elle sans une once d'arrogance. Mais ça devient de plus en plus difficile. La plupart des scénarios qu'on m'envoie sont ennuyeux à mourir.

Elle avait joué dernièrement dans un film tiré d'un roman de John Grisham et avait pris un immense plaisir à tenir ce rôle. Presque malgré elles, Pascale et Diana l'écoutèrent, fascinées.

Ils continuèrent à parler de leurs goûts littéraires avant de passer à d'autres sujets, jusqu'à ce que Pascale serve le café. Eric et John, sous le charme, participaient activement à la conversation. Il n'était guère étonnant que Robert se sente bien en sa compagnie : elle était drôle, cultivée et décontractée. Prisonnières de leurs a priori, Diana et Pascale restèrent un peu en retrait, mais Gwen ne sembla pas le remarquer. Elle les incluait sans cesse dans la conversation, même quand les deux amies se contentaient de lui répondre par monosyllabes.

Le repas touchait à sa fin quand Agathe fit son apparition en chantonnant, chargée d'une pile de serviettes propres, indifférente à l'effet comique qu'elle produisait. L'un de ses caniches sautillait à ses chevilles. Elle portait ce jour-là un short imprimé léopard, un soutien-gorge à paillettes et ses escarpins rouges préférés. Ondulant au rythme de la musique, elle quitta la cuisine aussi vite qu'elle y était entrée, sous le regard abasourdi de Gwen.

— Qu'est-ce que c'est que ça ? murmura celle-ci après le départ d'Agathe. On aurait dit notre célèbre Liberace en travesti !

Sa remarque provoqua l'hilarité générale.

— *Ça*, c'est Agathe, répondit Robert. Notre femme de ménage. D'habitude, elle porte une robe noire ornée d'un tablier amidonné, mais elle s'est mise sur son trente et un spécialement pour toi, aujourd'hui, plaisanta-t-il.

Ses amis ne l'avaient encore jamais vu aussi espiègle, aussi taquin. C'était un véritable choc pour eux, comme s'ils découvraient un autre Robert. Assise en face de Gwen, Diana ne put s'empêcher d'admirer sa chevelure d'un beau roux cuivré ; les rousses étaient une denrée rare à Hollywood, et celle-ci possédait en prime d'immenses yeux noisette et un teint diaphane, sans la moindre tache de rousseur. De quoi rendre toutes les femmes jalouses, pour peu qu'on soit disposé à la détester...

— Elle fait vraiment le ménage ? reprit Gwen, sin-cèrement intriguée.

Robert secoua la tête en riant. Qui aurait cru, en le voyant, qu'il ressemblait encore à un zombie quel-ques mois plus tôt, terrassé par le chagrin ?

— Au dire de Pascale, elle se donne beaucoup de mal, répondit-il d'un ton léger. Tu as déjà fait la connaissance de son mari. Il est un peu porté sur la boisson, mais c'est un brave type. Ils étaient compris dans la location.

Gwen laissa échapper un rire cristallin.

— Qui fait quoi cet après-midi ? demanda soudain Diana en posant un regard inquisiteur sur Robert et Gwen.

S'ils décidaient de « faire une sieste », elle avait déjà prévu de monter la garde dans le couloir, afin d'entraver leurs projets. Tous les moyens lui sem-blaient justifiés pour préserver son vieil ami, et elle n'avait aucune intention de leur faciliter la vie. Elle devait au moins ça à Anne.

— J'aimerais bien faire un peu de shopping à Saint-Tropez, si vous n'y voyez pas d'inconvénient, annonça Gwen. Pour une fois que j'ai un peu de temps libre…

— Je viens avec toi, fit aussitôt Robert.

Les autres le dévisagèrent avec étonnement. Il avait toujours détesté faire les boutiques, tout comme Anne. Décidément, ce n'était plus le même homme…

— Aimez-vous faire du bateau ? demanda Pascale.

— J'adore ça. Tu préfères qu'on en fasse cet après-midi ? demanda-t-elle à l'adresse de Robert.

— On peut très bien faire les deux. Commençons par une virée shopping à Saint-Tropez.

— D'accord ! Je vais chercher mon sac ! s'écria Gwen avant de disparaître.

Robert regarda ses amis en souriant. Il était à mille lieues de soupçonner les pensées mesquines, teintées de jalousie, qui habitaient à cet instant précis les esprits de Diana et de Pascale.

— Elle est sympa, n'est-ce pas ? demanda-t-il, quêtant leur approbation.

— Oui, concéda Pascale à mi-voix, ce qui lui valut un regard noir de la part de son époux.

Quelques minutes plus tard, Robert et Gwen prirent congé du petit groupe et s'élancèrent joyeusement vers la 2 CV, qui ne tarda pas à s'éloigner. Dès qu'ils furent seuls, John et Eric rabrouèrent vertement leurs femmes.

— Vous feriez bien de vous montrer plus avenantes, toutes les deux, quand ils rentreront, commença Eric. Cette fille a l'air très gentille, et puis n'oubliez pas que c'est l'invitée de Robert.

John approuva les paroles de son ami d'un signe de tête.

— Il ne t'aura pas fallu beaucoup de temps pour tomber sous le charme, n'est-ce pas ? répliqua Diana à l'adresse de son mari sur un ton chargé d'amertume. Je ne savais pas que tu aimais les rousses. Ceci dit, je vais de surprise en surprise, avec toi...

Si l'attaque de Diana le blessa profondément, Eric campa néanmoins sur ses positions.

— Ne change pas de sujet, veux-tu ? A la place de Gwen, je ne déferais même pas mes valises, je prendrais une chambre à l'hôtel le plus proche pour ne pas avoir à supporter toutes vos idioties. Personne ne l'a forcée à venir ici ; elle est là parce que Robert l'a invitée et qu'elle semble apprécier sa compagnie. D'accord, nous aimions tous Anne et nous ne l'oublierons jamais, mais elle n'est plus là, même si ça fait mal. Robert a tout à fait le droit de refaire sa vie, que cela nous plaise ou non !

Un silence accueillit sa tirade. Il avait raison, même s'ils n'étaient pas encore tous prêts à l'admettre.

— Pour l'amour du ciel, Eric, cette fille est une actrice ! explosa soudain Pascale. Elle manipule son monde comme elle veut... Toi, John, Robert... vous êtes tous tombés dans le piège. Il la connaît à peine, à la fin !

— Il la connaît mieux que nous, en tout cas. Robert n'est plus un gamin. Déridez-vous un peu, enfin ! Vous rendez-vous compte que des millions de gens rêveraient de l'avoir à leur table ? Elle est ici en vacances, comme nous, elle a besoin de se reposer. Soyez sympas, montrez-nous votre vrai visage quand ils reviendront, d'accord ?

John l'appuya.

— Eric a raison. Nous blessons autant Robert que Gwen en agissant ainsi. Laissons-le vivre, les choses se dénoueront d'elles-mêmes.

Diana leva les yeux au ciel, agacée.

— Décidément, il n'y en a pas un pour rattraper l'autre ! Il suffit d'une jolie paire de jambes et d'un sourire étincelant et vous voilà amoureux ! Robert a vingt-deux ans de plus qu'elle, au cas où vous l'auriez oublié. Attendez qu'un bellâtre passe par là, elle le laissera tomber comme une vieille chaussette, et le pauvre aura le cœur brisé, s'il commet la bêtise de tomber amoureux !

— Peut-être l'est-il déjà... et elle aussi, fit remarquer Eric. Attendons de voir avant de juger. Quand bien même leur histoire ne durerait pas, quel mal y a-t-il à ce qu'il prenne un peu de bon temps ? Il pourra toujours raconter à ses petits-enfants, plus tard, le merveilleux été qu'il aura passé avec une belle et jeune actrice de cinéma... Il y a des expériences bien plus désagréables que ça. Et puis il est célibataire, il ne nous doit aucune explication. De quel droit nous mêlons-nous de sa vie privée ?

— C'est bien une réaction masculine, vos hormones vous manipulent et vous ne leur opposez aucune résistance ! fit Diana en enveloppant son mari d'un regard entendu. Personnellement, je vois un peu plus loin que le bout de mon nez. Je n'ai aucune envie que Robert se fasse plumer par une starlette irresponsable !

— Arrête tes bêtises ! protesta Eric avec plus de véhémence. Elle gagne plus d'argent que chacun d'entre nous. Et elle ne risque pas de coucher avec lui pour décrocher le premier rôle d'une superproduction ! Il ne pourra même pas lui faire sauter ses amendes de stationnement interdit ! ajouta-t-il, sarcastique. Elle est ici parce qu'elle avait vraiment envie de le voir, sinon elle serait descendue dans le plus bel hôtel de la ville et elle ne s'embêterait pas à dormir dans un lit bancal, à se doucher dans une salle de bains vétuste ni à supporter quatre personnes qui se sont mis

dans la tête de lui pourrir la vie ! Quel genre de béné-
fice retire-t-elle de tout ça, vous pouvez me le dire ?

John hocha de nouveau la tête. Les femmes, en
revanche, refusèrent de capituler.

— Et s'il décide de l'épouser ? fit Pascale. Que se
passera-t-il, alors ?

— On avisera à ce moment-là, répondit John.

Eric partit soudain d'un rire amer.

— Je me souviens encore du premier dîner que
nous avons fait avec toi, Pascale. Tu parlais à peine
anglais, tu es arrivée avec une heure de retard, tu
portais une robe en satin noir qui te moulait tellement que tu pouvais à peine respirer et, pour couronner le tout, tu étais danseuse, ce qui n'est pas
forcément plus respectable que comédienne, aux
yeux de certaines personnes. Anne et Diana étaient
plus que méfiantes, je peux te l'avouer maintenant.
Mais elles ont fini par tomber sous le charme et tu
es devenue, avec le temps, leur meilleure amie. On
t'a tous laissé une chance. Pourquoi n'en ferais-tu
pas autant pour Gwen, aujourd'hui ?

Un silence pesant s'abattit sur la pièce. Eric fixa
Pascale d'un air interrogateur, mais celle-ci se
détourna en secouant la tête. Il avait touché un point
sensible, tout le monde en était conscient. Pourtant,
la situation était différente, plus délicate, parce que le
fantôme d'Anne se dressait encore entre eux. Mais
Anne n'était plus de ce monde. Robert appréciait la
compagnie de Gwen et, d'une certaine manière, il leur
avait témoigné sa confiance en l'invitant à se joindre à
eux. Les paroles d'Eric affectèrent beaucoup Pascale,

même si elle n'était pas encore prête à l'admettre ouvertement.

Plongée dans un mutisme boudeur, Diana entreprit de débarrasser la table. Encore furieuse contre son mari, elle refusait d'entendre ses arguments. Que John soit d'accord avec lui importait peu à ses yeux. Les hommes étaient décidément tous pareils. Un visage angélique, une silhouette de rêve et des jambes interminables suffisaient à leur tourner la tête ! Elle était tellement aigrie, depuis quelque temps, que tous les prétextes étaient bons pour déverser son amertume... et Gwen tombait à pic !

Les hommes sortirent au jardin pour fumer un cigare, tandis que Pascale aidait son amie à ranger la cuisine. Au bout de ce qui parut une éternité, Pascale interrogea Diana du regard.

— Qu'en penses-tu ?

— Il est encore trop tôt pour se prononcer ; nous ne la connaissons pas suffisamment, répondit Diana d'un air buté.

Pascale hocha la tête en silence, mais, tout au fond d'elle, elle n'était plus sûre de rien. Les paroles d'Eric continuaient de résonner dans son esprit confus, tenaillé par le doute.

Sur la route de Saint-Tropez, Gwen se tourna vers Robert.

— Tu es sûr que tes amis ne m'en veulent pas de monopoliser ton attention, Robert ? demanda-t-elle d'un ton préoccupé. Je me fais vraiment l'impression d'une intruse. Vous vous connaissez tous depuis si longtemps, et voilà que je débarque sans crier gare pendant vos vacances. Je ne sais pas s'ils sont prêts à m'accepter.

Gwen avait perçu un certain malaise au cours du déjeuner, contrairement à Robert qui avait mis la réserve inhabituelle de ses amies sur le compte de la timidité. Après tout, ce n'était pas tous les jours qu'on déjeunait avec une star de cinéma ! Plus clairvoyante, Gwen n'était pas restée indifférente à la tension ambiante.

— Je crois sincèrement que c'est plus dur pour eux que ce que tu penses, insista-t-elle. Ils ont du mal à te voir avec une autre femme.

— C'est un grand bouleversement pour moi aussi, tu sais, admit Robert d'un ton empreint de gravité.

L'espace d'un instant, ses pensées se tournèrent vers Anne, mais il lutta avec force contre la tristesse qui menaçait de l'envahir. Il savait par expérience qu'il ne servait à rien de se morfondre. L'important n'était-il pas de vivre l'instant présent ? Il jeta un coup d'œil vers Gwen.

— Nous finirons bien par nous habituer à tous ces changements. Simplement, je ne voudrais pas que tu te sentes mal à l'aise. As-tu l'impression qu'ils t'ont manqué de respect ? demanda-t-il, craignant soudain d'être passé à côté de quelque chose.

— Non… non, pas du tout. Je les sens simplement méfiants à mon égard. Mais je m'y attendais, ça ne me dérange pas. D'un autre côté, je ne veux pas semer la zizanie au sein de votre petit groupe.

— C'est comme s'ils faisaient partie de ma famille, Gwen. Nous avons vécu des tas de choses ensemble, pendant toutes ces années. Je tiens vraiment à ce qu'ils prennent le temps de te découvrir et de t'apprécier, comme moi.

— Il leur faudra du temps, Robert, fit-elle observer sagement comme ils pénétraient au cœur de Saint-Tropez. Ce sera peut-être plus long que ce que tu crois.

S'ils acceptaient seulement de lui donner une chance, une toute petite chance… Hélas, il n'y avait rien de moins sûr. Robert se mit à la recherche d'une place de parking. Un sourire étira ses lèvres.

— Tu ne connais pas mes amis, Gwen. Fais-moi confiance. Ils seront tous conquis avant la fin de la soirée. Personne ne résiste à ton charme, je ne vois vraiment pas pourquoi ils resteraient insensibles.

— D'abord parce que je ne suis pas Anne, murmura la jeune femme. C'est mon premier défaut, à leurs yeux. Et puis je suis une actrice célèbre, fraîchement débarquée de Hollywood. Ils doivent me prendre pour une extraterrestre. Surtout s'ils lisent la presse à sensation. Ça fait beaucoup de choses à avaler, tu ne trouves pas ? Je vis ça tous les jours, Robert, je sais de quoi je parle. Mon métier me colle à la peau, les gens ont tendance à me détester avant même de me connaître… quand ils s'en donnent la peine. Je suis coupable tant que je n'arrive pas à apporter la preuve de mon innocence !

— Pas pour moi, pas avec mes amis, déclara-t-il avec une fermeté qui la fit sourire.

Elle se pencha vers lui pour l'embrasser sur la joue. Inutile d'insister, Robert avait trop confiance dans la nature humaine pour sentir les réticences que lui opposaient ses amis. Mais elle serait patiente. Si elle faisait mine de ne pas prêter attention à leur froideur, ils finiraient peut-être par s'ouvrir à elle ; c'était tout ce qu'elle souhaitait, même si elle ignorait encore comment évolueraient ses sentiments pour Robert.

Il trouva finalement une place et coupa le moteur de la 2 CV, avant de l'enlacer. Puis il posa un doux baiser sur sa joue.

— Prête pour votre expédition shopping, Miss Thomas ?

— Fin prête, monsieur le juge ! répondit-elle en lui souriant tendrement.

Robert fronça brusquement les sourcils.

— Tu crois que les gens vont te reconnaître ?

— Il y a des chances. Ça te gêne ? demanda-t-elle, soudain inquiète.

La célébrité pouvait parfois devenir pesante, surtout quand on n'y était pas habitué. C'était un monde totalement étranger pour Robert, et c'était aussi ce qu'elle aimait chez lui. En sa compagnie, elle avait l'impression de renouer avec la vraie vie.

— Je crois que je vais devoir m'y faire, si nous sommes amenés à nous promener plus souvent ensemble, répondit-il en retrouvant son sourire. Allons-y !

Ils sortirent de la voiture. Au bout de quelques mètres, un passant arrêta Gwen pour lui demander un autographe. Sous le regard bienveillant de Robert, elle apposa sa signature sur un bout de papier froissé et ils se remirent en route. A peine deux minutes plus tard, deux jeunes gens l'abordèrent poliment ; accepterait-elle qu'ils la prennent en photo ? Elle prit la pose de bonne grâce puis s'éloigna rapidement, peu

désireuse d'imposer à Robert les revers de la renom-
mée. Mais ce dernier la suivit sans rechigner, tout
simplement heureux d'être auprès d'elle. Finalement,
ils réussirent à faire les boutiques et s'arrêtèrent dans
un café pour boire un verre de vin en terrasse.
Comme à chaque fois qu'ils se retrouvaient, ils passèrent un moment merveilleux, riant, plaisantant et
bavardant avec animation.

Ils n'étaient jamais à court de sujets de conversation ; le travail et les enfants de Robert, les tournages
de Gwen, leurs aspirations, leur famille, leur
enfance, tout était matière à discussion. Petite fille,
Gwen rêvait d'être institutrice ; jamais elle n'aurait
cru devenir actrice un jour... et encore moins rem-
porter un oscar ! Ç'avait été un grand moment
d'émotion pour elle ; la reconnaissance de ses pairs
l'avait profondément touchée et encouragée à donner le meilleur d'elle-même. Depuis, elle s'accordait
le luxe de choisir des rôles qui lui tenaient particulièrement à cœur.

— Il est bon parfois de suivre son instinct, d'accepter un rôle parce que le personnage te plaît, sans forcément songer à la répercussion qu'il aura sur ta
carrière, expliqua-t-elle les yeux brillants. De toute
façon, on ne peut pas décrocher un oscar tous les ans !

Elle lui parla alors du film qu'elle s'apprêtait à
tourner, un thriller palpitant. L'acteur qui tenait le
premier rôle masculin était une immense star.

— A propos, enchaîna-t-elle d'un ton enjoué, je
voulais te demander quelque chose. J'ai un couple
d'amis qui séjourne sur un bateau, pas très loin d'ici.
C'est un petit bijou, tu en as peut-être entendu par-

ler ; il appartient à Paul Getty. Le *Talitha G,* ça te dit quelque chose ?

Robert opina du chef. Il avait déjà vu des photos de ce magnifique yacht, luxueusement aménagé. Les amis de Gwen l'avaient loué pour deux semaines. Verrait-il un inconvénient à ce qu'elle les invite à jeter l'ancre devant la villa ?

— Je voulais ton avis avant de leur en parler, conclut-elle dans un sourire.

— C'est une excellente idée ! J'ai toujours rêvé de pouvoir admirer ce yacht. Anne et moi avions lu un article à son sujet, il y a quelques années. Elle avait une nette préférence pour les voiliers, mais elle avait reconnu qu'il était splendide. Les photos étaient à couper le souffle.

— Il est superbe, c'est vrai. J'ai eu la chance de le visiter, l'an dernier ; j'avais même envisagé de le louer avec quelques amis de Los Angeles, mais je me suis dit qu'il était un peu trop voyant pour moi.

Sa remarque le fit rire.

— J'en connais d'autres que l'idée va emballer, dit-il en faisant allusion à ses amis.

Et quand Gwen lui révéla l'identité des plaisanciers, il fit mine de tomber à la renverse.

— Diana et Pascale vont sauter au plafond quand tu leur diras ça, commenta-t-il d'un air amusé.

L'univers de Gwen était si différent du sien ! Elle côtoyait tous les jours des célébrités, fréquentait les personnages les plus adulés de la planète. Et pourtant, elle était restée d'une simplicité admirable. Henry Adams, l'acteur qui avait loué le *Talitha G,* était une des plus grandes stars de sa génération, et son épouse était un top model mondialement connu. Ils étaient accompagnés de deux autres amis, tous deux comédiens renommés.

— Ce sont des amis de longue date, ils sont très sympas, tu verras, fit Gwen en souriant. Tes amis auront peut-être envie de les rencontrer.

Un sourire espiègle fendit le visage de Robert.

— Tu parles ! Ils ne résisteront pas à une telle tentation !

— Je les appellerai dès que nous serons rentrés. Ils ont passé la semaine dernière à l'hôtel du Cap. La vie n'est pas facile pour certains d'entre nous ! conclut-elle, mutine.

Robert retrouva soudain son sérieux.

— La villa risque de les surprendre. Crois-tu vraiment que ce soit une bonne idée de les inviter ?

— Ne t'inquiète pas, ils vont adorer votre maison rafistolée ! s'exclama-t-elle tandis que Robert s'émerveillait une fois de plus de sa beauté juvénile et de son enthousiasme débordant.

De retour à la maison, il l'emmena faire de la voile. Elle n'était pas aussi habile qu'Anne, mais elle se montra pleine de bonne volonté. Tout à coup, l'embarcation fit une violente embardée et Gwen tomba à l'eau. Robert se précipita pour l'aider à remonter à bord. Elle riait aux éclats quand il lui prit la main. Le haut de son maillot deux pièces s'était dénoué et il détourna pudiquement les yeux, en proie à une vague de désir incontrôlable. Elle avait un corps splendide.

Ils passèrent le reste de l'après-midi sur le bateau. Quand ils regagnèrent enfin la maison, Pascale et

Diana étaient déjà en train de préparer le dîner. Elles saluèrent les nouveaux arrivants du bout des lèvres.

— Préfères-tu aller dîner au restaurant ? demanda-t-il discrètement à Gwen.

Ses cheveux mouillés flottaient sur ses épaules. Elle était enveloppée dans une grande serviette de plage et tenait ses sandales à la main.

— Non, restons ici, d'accord ? Nous sortirons un autre jour. Je vais appeler Henry. On pourrait peut-être dîner tous ensemble sur le yacht demain soir, si tes amis sont d'accord. Ils ont un chef exceptionnel, paraît-il.

— On pourrait leur servir de la pâtée pour chien qu'ils ne songeraient même pas à protester, tant ils seront heureux d'être à bord de ce monument, en compagnie de quelques grands de ce monde ! plaisanta-t-il à mi-voix tandis qu'ils inspectaient le garde-manger.

Ils ouvrirent un sachet de noisettes et Robert lui proposa quelque chose à boire. Gwen se contenta d'un grand verre d'eau fraîche.

— Je viens vous aider dans un petit moment, lança-t-elle à l'adresse de Diana et Pascale, qui venaient de les rejoindre.

— Ce n'est pas la peine, répondit Pascale d'un ton peu amène.

A cet instant, Robert réalisa avec stupeur que les impressions de Gwen étaient parfaitement justifiées. C'était la première fois que ses amies se montraient aussi froides, aussi hostiles, et leur attitude vis-à-vis de Gwen le blessa profondément.

Ils montèrent se changer dans leurs chambres. Une fois seule, Gwen s'assit sur le lit, qui s'affaissa lourdement sur le sol. La jeune femme éclata de rire. C'était une scène de rêve !

Une minute plus tard, elle frappa à la porte de Robert. Il ne tarda pas à ouvrir, une serviette nouée autour des hanches. Il s'apprêtait à prendre une douche.

— Je crois qu'ils ont piégé mon lit, chuchota-t-elle avec un air de conspiratrice.

Robert partit d'un rire amusé.

— N'y vois surtout rien de personnel ; c'est déjà arrivé à ma fille, la semaine dernière. Je vais demander à Marius d'arranger ça. Je suis vraiment désolé, Gwen.

Il avait tant espéré qu'elle passerait de bons moments en leur compagnie ; hélas, la situation semblait lui échapper de minute en minute ! Dieu merci, la jeune femme semblait plus amusée que contrariée. D'un naturel rieur et spontané, elle ne semblait s'offusquer de rien. Quant à l'accueil glacial que lui réservaient les amis de Robert, elle était suffisamment intelligente pour comprendre qu'il était nourri par une inquiétude sincère et non par de la pure méchanceté.

Robert alla aussitôt chercher Marius, pendant que Gwen disparaissait sous la douche. Lorsqu'elle émergea de la salle de bains, enveloppée d'un peignoir en éponge rose qu'elle avait acheté au Ritz, le lit était réparé et Robert avait regagné sa chambre. Par un heureux hasard, ils se retrouvèrent dans le couloir vingt minutes plus tard. Gwen avait enfilé un pantalon en soie jaune pâle et un caraco assorti. Une étole en mousseline fleurie drapait ses épaules. De fines sandales en cuir doré complétaient sa tenue. Elle s'était à peine maquillée. Plus qu'une star de cinéma, c'était avant tout une femme splendide.

— Tu es très belle, murmura Robert en respirant son parfum.

C'était une fragrance à la fois légère et fleurie, infiniment sensuelle. Pendant une fraction de seconde, il songea à Anne, et son cœur se serra douloureusement. Il s'efforça de chasser les pensées troublantes qui tourbillonnaient dans son esprit, et suivit Gwen jusqu'à la cuisine. Attablé devant un verre de vin, Eric bavardait avec Pascale. Diana était allée se changer pour le dîner et John prenait des photos du coucher de soleil. Jouissant de la même situation que les terrasses de café du centre-ville, la maison offrait une vue imprenable sur le soleil couchant, privilège rare à Saint-Tropez.

— Que puis-je faire pour vous aider ? proposa Gwen d'un ton léger.

Robert emplit deux verres de vin et lui en tendit un. Affairée devant la gazinière, Pascale se raidit. Elle se sentait prise entre deux feux, partagée entre l'envie de se radoucir et celle d'épauler Diana, encore plus remontée qu'elle.

— Rien du tout, répondit-elle sèchement.

Dans l'espoir de détendre l'atmosphère, Robert leur parla de leurs projets pour le lendemain. Il leur dit simplement que des amis de Gwen viendraient passer la journée, à bord du yacht qu'ils avaient loué, et qu'ils y dîneraient sans doute le soir, tous ensemble.

— Je déteste les bateaux, marmonna Pascale en enfournant le rôti et les pommes de terre.

Robert s'exhorta au calme.

— Celui-ci n'est pas tout à fait comme les autres, insista-t-il avant de le décrire à grand renfort de détails.

Eric l'écouta, sa curiosité piquée au vif. John les rejoignit au beau milieu de la conversation. Il sourit à Gwen, en la détaillant d'un air admiratif. La jeune femme lui rendit son sourire. Pourtant anodin, l'échange n'échappa pas à Pascale, qui se rembrunit.

— De quel bateau parles-tu ? demanda-t-il en posant son appareil photo sur la table.

Il accepta le verre de vin que lui tendait Eric et posa sur Robert un regard perplexe.

— Tu as décidé d'en louer un, c'est ça ? Pourquoi, grand Dieu ? Nous avons déjà un bateau !

Comme ses compagnons éclataient de rire, amusés par la comparaison, il fronça les sourcils.

— C'est vrai, enfin, ce serait une dépense inutile.

— En fait, je voulais vous proposer d'en acheter un, tous ensemble, fit Robert, d'humeur taquine.

John blêmit sous son hâle.

— Ici ? En France ? Tu as perdu la tête ou quoi ?

Quand il se rendit compte que Robert se moquait de lui, il secoua la tête d'un air penaud.

— D'accord, d'accord, c'était une blague, tu m'as bien eu. Trêve de plaisanterie, de quel bateau parlais-tu ?

Avec un plaisir non dissimulé, Robert répondit à sa question et, quand Diana pénétra dans la pièce, vêtue d'un pantalon en toile blanc et d'un chemisier chamarré, il leur révéla l'identité des plaisanciers qui viendraient leur rendre visite demain, grâce à Gwen.

— C'est une blague ? lança Diana, incrédule.

— C'est très sérieux, au contraire, répondit Robert, heureux de l'effet produit.

Il lança un regard amusé à Gwen. Elle avait appelé les Adams avant de prendre sa douche ; ces derniers avaient promis d'être là à l'heure du déjeuner. Après le repas, ils partiraient tous en balade sur le yacht, peut-être même jetteraient-ils l'ancre dans une petite crique pour nager un peu, puis ils regagneraient la villa dans la soirée. Diana et Pascale l'écoutèrent exposer le programme de la journée, bouches bées. Comment refuser une invitation comme celle-ci ? Gagnés par l'excitation, ils se mirent tous à parler en même temps, omettant toutefois de remercier Gwen pour son idée de génie. Robert se chargea de réparer leur indélicatesse, lorsqu'ils allèrent se promener dans le parc, après le dîner. Tout au long du repas, John et Eric s'étaient efforcés d'inclure Gwen dans leurs conversations, et Robert leur en était infiniment reconnaissant. Diana et Pascale, en revanche, avaient fait preuve d'indifférence à son égard. L'attitude plus conciliante de leurs époux n'avait fait qu'attiser leur rancœur.

Soulagée d'échapper à la tension ambiante, Gwen se laissa tomber dans un fauteuil de jardin fraîchement repeint.

— Je suis désolé, commença Robert avec un sourire contrit. Tu avais raison tout à l'heure, elles ne sont pas très chaleureuses…

Que faire pour détendre l'atmosphère ? Robert se sentait terriblement impuissant face à l'attitude mesquine de ses amies. Gwen haussa les épaules.

— Ça ira mieux dans quelques jours, ne t'inquiète pas, dit-elle d'un ton désinvolte. La journée de demain apaisera peut-être les esprits.

C'était un peu comme avec les enfants ; pour conquérir leur affection, il fallait sans cesse leur trouver des distractions. Robert secoua la tête, l'air sombre.

— Franchement, je n'aurais jamais imaginé qu'elles réagiraient ainsi. C'est complètement idiot, je ne comprends même pas leur attitude. Pourquoi se montrent-elles aussi hostiles ? Ça ne leur ressemble pas, je t'assure...

— Elles cherchent à te protéger, répondit simplement Gwen. Elles sont pleines de préjugés sur ce que je suis et ce que je représente. Mais ça leur passera, je suis confiante. Dès qu'elles comprendront que je ne cherche pas à te faire du mal.

— C'est parfaitement ridicule ! s'écria Robert, à la fois incrédule et indigné. Enfin, elles voient bien que tu es douce comme un agneau...

— Là n'est pas la question, Robert, tu le sais aussi bien que moi. Elles essaient d'honorer la mémoire d'Anne, en veillant sur toi. A leurs yeux, je ne suis qu'une starlette égoïste et sans scrupules. Réfléchis bien à tout ça.

— Dans ce cas, j'espère qu'elles ouvriront bientôt les yeux, déclara Robert.

Une idée germa soudain dans son esprit, et son visage s'éclaira.

— As-tu envie d'aller danser ?

Elle réfléchit un instant, avant de hocher la tête en souriant.

— Oui, avec grand plaisir. Tu crois qu'ils vont vouloir venir avec nous ?

— Je n'ai pas l'intention de les inviter, répondit Robert. Tu as bien mérité de pouvoir te détendre, sans avoir à subir leurs remarques acerbes.

— Je ne voudrais surtout pas heurter leur susceptibilité...

— Pensons un peu à nous, d'accord ? Il sera toujours temps de ménager leurs sentiments demain.

Touchée par sa sollicitude, Gwen hocha lentement la tête. Ils s'éclipsèrent, sans même prévenir les autres. Cette fois, elle prit le volant et la 2 CV s'éloigna sur le chemin cahoteux.

Assis dans le salon, les Morrison et les Donnally entendirent le moteur pétarader. Tous arboraient des mines renfrognées.

— Moi, je l'aime bien, cette fille, déclara soudain John. Je la trouve très sympathique, ajouta-t-il en dardant sur Pascale un regard accusateur.

— Qu'est-ce que tu crois ? répliqua celle-ci, exaspérée. C'est une actrice, bon sang !

Presque malgré elle, pourtant, elle sentait son hostilité fondre comme neige au soleil. Mais il y avait Anne et la loyauté qu'elle avait promis de lui vouer.

— Laissez-la donc tranquille, renchérit Eric. Par amitié pour Robert, vous lui devez bien ça ! Reconnaissez au moins qu'elle est adorable avec lui, ajouta-t-il en se tournant vers Diana.

Mais celle-ci refusa de se laisser amadouer.

— Peut-être, mais ce n'est pas une femme pour lui. Le pauvre ne sait pas dans quel guêpier il s'est fourré.

Sur ce, Diana se mura dans un silence rêveur. Gwen était-elle sincère ? Au fond, cela n'avait guère d'importance. Diana avait décidé de la tenir à l'écart et elle n'avait aucune intention de changer d'avis. Contrairement à ses compagnons...

Pendant ce temps, en ville, Robert et Gwen les avaient complètement oubliés, comme de vilains enfants qu'on laisse à la maison. Après avoir dansé tout leur soûl, ils décidèrent d'aller prendre un verre dans un bar, le long du port. Epuisés mais ravis, ils bavardèrent pendant des heures à la terrasse du Gorille, admirant les bateaux ancrés dans le port mythique. Depuis combien de temps Robert n'avait-il pas dansé ? Probablement depuis le mariage de son fils Mike. Il adorait ça quand il était plus jeune, mais Anne ne partageait pas sa passion.

Il était plus de deux heures du matin quand ils décidèrent de reprendre la route. Heureusement, la maisonnée dormait et personne ne les entendit rentrer.

— Merci, murmura Gwen en s'immobilisant devant la porte de sa chambre. J'ai passé une merveilleuse soirée.

— Moi aussi, chuchota Robert en effleurant sa joue d'un léger baiser.

Ces contacts à la fois tendres et furtifs leur suffisaient pour le moment. Aucun d'eux ne désirait encore aller plus loin.

— A demain, Gwen. Dors bien.

Tout à coup, il eut envie d'aller la border dans son lit. C'eût été de la pure folie... Gwen n'était pas une enfant, c'était une femme. Une femme très séduisante, de surcroît. Comment s'y prendrait-il s'il désirait un jour que leur relation devînt plus intime ? Cette question ô combien troublante demeura sans réponse. De toute façon, elle ne se posait pas encore. Il n'était pas prêt, c'était trop tôt.

Il regarda la porte de sa chambre se refermer sur elle et poussa la sienne sans faire de bruit. Soudain, il se prit à regretter de ne pas s'être montré plus audacieux. Sa relation avec Gwen lui apparaissait comme un défi permanent. Mais, avant de s'investir davantage, il devait faire la paix avec sa conscience, rongée par la culpabilité. Les souvenirs de son mariage avec Anne peuplaient son esprit, à la fois doux et pesants. Serait-ce lui manquer de respect que de tomber amoureux d'une autre femme ? C'était à lui, et à lui seul, de régler le conflit qui faisait rage dans son cœur.

Cette nuit-là, il pensa à Anne puis à Gwen, incapable de trouver le sommeil. A quoi ressemblait-elle quand elle dormait ? Que portait-elle au lit ? Peut-être dormait-elle nue ? Il lui restait tant de choses à découvrir sur elle ! Troublé par le cours de ses pensées, il s'endormit enfin. En se réveillant le lendemain matin, il sut qu'il avait rêvé d'elle. Il se leva avec entrain, se doucha et se rasa. Puis il s'habilla, impatient de retrouver celle qui avait hanté son sommeil.

9

Gwen était déjà debout quand Robert descendit prendre son petit déjeuner. Attablée devant un bol de café au lait, elle lisait le *Herald Tribune*, seule. Elle lui servit une tasse de café et lui tendit le journal.

— Tu as bien dormi ?

Robert aimait sa prévenance et sa sollicitude. C'était bon d'avoir de nouveau quelqu'un à ses côtés.

— Plus ou moins, avoua-t-il. Il m'arrive encore de rêver d'Anne.

Mais il se garda de lui dire que c'était elle qui avait peuplé ses rêves la nuit passée, le plongeant dans une indicible confusion. Il avait envie d'elle — à quoi bon le nier ? —, mais il avait l'impression qu'il ne méritait pas l'attention qu'elle lui accordait. En outre, l'idée d'abandonner Anne pour vivre une autre histoire d'amour le mettait affreusement mal à l'aise. En avait-il seulement le droit ?

— Ça n'a pas été facile pour moi de sortir avec un autre homme après mon divorce, déclara Gwen d'un ton plein de compréhension. Ce n'est jamais facile de tourner la page pour en entamer une nouvelle. Et je ne suis restée mariée que neuf ans, alors que tu as passé trente-huit ans de ta vie avec la même personne. On ne peut pas tout oublier comme ça, d'un coup de baguette magique, sans éprouver un certain malaise. C'est normal, il faut laisser le temps faire son œuvre.

— Je n'y avais pas songé. Je ne pensais pas me retrouver dans ce genre de situation.

« Je ne pensais pas être capable de tomber amoureux d'une autre femme »... La phrase jaillit dans son esprit, sans qu'il osât la formuler à voix haute.

— Moi non plus, confessa Gwen. Mais le destin est facétieux ; il nous pousse sans cesse à affronter des situations imprévues.

Cédant à la curiosité, Robert osa enfin lui demander pourquoi elle avait divorcé. Elle hésita un instant avant de répondre :

— J'ai découvert qu'il avait une liaison. Avec une de nos meilleures amies.

— Alors tu l'as quitté ?

— Oui. Dès que j'ai su. Je suis partie sur-le-champ, sans même prendre le temps de réfléchir.

— Comment a-t-il réagi ?

— Il m'a suppliée de revenir, de lui donner une autre chance. Mais je ne lui ai jamais reparlé. Je l'ai détesté pendant longtemps. C'est fini maintenant. Sa maîtresse était ma meilleure amie ; évidemment, j'ai coupé les ponts avec elle aussi. J'étais assez radicale à l'époque.

— N'as-tu jamais regretté de l'avoir quitté ?

— Si. Je m'en suis voulu à mort, mais je n'ai jamais repris contact avec lui. J'étais bien trop orgueilleuse pour revenir sur ma décision. Il avait piétiné mon ego en même temps que mon cœur. Ça peut paraître idiot, mais c'est comme ça. Je n'ai jamais flanché, en apparence en tout cas. Je ne voulais surtout pas qu'il sache que je l'aimais toujours.

— Et maintenant, avec le recul, quels sont tes sentiments ?

— J'ai réussi à faire la paix avec moi-même. Mais le chemin fut long et douloureux. Au début, j'étais pleine de colère, d'amertume et d'agressivité. J'étais surtout effondrée.

Robert la dévisagea avec intensité.

— Crois-tu que tu aurais dû lui pardonner ?

La réponse de Gwen le surprit.

— Sans doute, oui. Nous ne sommes pas vraiment humains, si nous ne possédons pas cette faculté. J'ai mis longtemps avant d'arriver à cette conclusion et, quand j'ai enfin décidé de lui pardonner, il était trop tard. Sur le coup, je ne songeais qu'à le punir, à me venger en demandant le divorce. Plus tard, je me suis rendu compte que j'aurais très bien pu tourner la page et rester avec lui. Mais j'avais déjà trop tardé. J'ai mis beaucoup de temps à remonter la pente.

— Ça ne doit pas être facile de prendre ce genre de décision. En un sens, ce fut moins difficile pour moi ; Anne est morte, j'ai été obligé d'accepter sa disparition. Même si ce fut un choc terrible, on ne m'a pas laissé le choix. Je suis sûr que tu as pris la bonne décision, à la fin.

— Je suppose. J'en ai douté pendant très longtemps. J'ai beaucoup regretté d'être partie, mais mon amour-propre m'a toujours empêchée de renouer.

Nous avons terriblement souffert, lui et moi. Ce fut une expérience très douloureuse, conclut-elle, le regard voilé par une tristesse infinie.

— Qu'est-il devenu ?

— Après m'avoir suppliée pendant des mois de revenir, sans succès, il a finalement épousé sa maîtresse.

Elle marqua une pause et sa voix tremblait légèrement quand elle reprit la parole.

— Il s'est suicidé six mois plus tard. J'ai brisé trois vies, Robert : celle de cette fille, celle de mon ex-mari et la mienne. Jamais je ne réussirai à me débarrasser de ce sentiment de culpabilité qui me tenaille depuis.

Robert secoua la tête, bouleversé.

— Tu ne peux pas continuer à te torturer ainsi, murmura-t-il avec douceur. Tu ne sais pas ce qui se passait dans sa vie ni dans sa tête, au moment où il s'est donné la mort. Peut-être était-il bourré de remords... ou peut-être avait-il d'autres soucis.

— Oui, mais si j'avais réagi moins impulsivement, si j'avais accepté de l'écouter, de discuter avec lui, si je n'avais pas tout de suite demandé le divorce, il serait encore en vie à l'heure qu'il est... et nous serions encore mariés, acheva-t-elle d'une voix étranglée.

— Le destin en a décidé autrement, Gwen. On ne peut pas contrôler la vie des autres. Vous aviez tourné une page, tous les deux...

— *Il* a tourné la page, définitivement. Il s'est tiré une balle dans la tête. Sa femme m'a accablée de reproches ; à ses yeux, tout était ma faute, il ne s'était jamais remis de notre divorce. J'étais anéantie. L'eau a coulé sous les ponts, depuis. Je sais que je dois continuer à avancer, mais j'hésite encore à m'investir dans une autre relation. Je me sens affreusement coupable de ce qui est arrivé et je me dis que ça pourrait très bien se reproduire. J'ai peur que ce drame me poursuive toute ma vie.

Robert prit sa main et la serra doucement dans la sienne.

— Arrête de te tourmenter, Gwen. Tu n'as pas le droit de te punir ainsi. Il t'a fait du mal, lui aussi. C'est lui qui a causé sa propre perte, pas toi.

Gwen hocha lentement la tête, touchée par ces quelques mots de réconfort.

— Et toi, éprouves-tu la même chose vis-à-vis d'Anne ? As-tu l'impression que tu n'auras plus jamais le droit d'être heureux par respect pour elle ? Toi aussi, tu mérites de vivre autre chose, Robert. Il faudra bien que tu tournes la page un jour.

— J'espère en être capable. Anne était une femme exceptionnelle, elle a beaucoup influencé ma vie. Elle ne me laissera pas partir si facilement, ajouta-t-il en esquissant un pâle sourire. D'un autre côté, elle n'est plus là, je me retrouve seul, complètement désemparé. Je ne sais pas par où commencer pour apprendre à vivre sans elle.

— Accorde-toi un peu de temps. Rien ne sert de s'emballer.

Robert l'enveloppa d'un regard admiratif.

— Tu es une femme formidable, Gwen.

— Dis-le à tes amis, plaisanta-t-elle.

Il leva les yeux au ciel en riant. Eric entra dans la pièce au même instant, mettant un terme à leur conversation.

— Avez-vous vu Diana ?

Robert et Gwen secouèrent la tête en signe de dénégation. Avec un léger haussement d'épaules, Eric se servit une tasse de café. Il s'était encore querellé avec elle ce matin-là. Elle lui avait redit qu'elle ne lui pardonnerait jamais sa trahison, qu'elle pensait de plus en plus demander le divorce en rentrant à New York. Il l'avait suppliée de faire un effort avant de céder à la colère ; ne pouvait-elle pas prendre un peu de hauteur par rapport aux événements, tenter de relativiser pour lui pardonner enfin ? Blessée par ses propos, Diana avait quitté la chambre comme une furie. A cet instant précis, elle était en train de nager énergiquement, luttant contre le chagrin et la frustration. Que cette femme soit beaucoup plus jeune qu'elle accentuait encore sa peine et son ressentiment. Elle se sentait vieille, inutile, humiliée. Quant à Eric, elle ne le reconnaissait plus.

Ce dernier s'attabla tranquillement avec Gwen et Robert. La conversation reprit, plus légère. Gwen proposa de leur préparer une omelette, mais ils refusèrent poliment. Les croissants leur suffiraient. Quelques minutes plus tard, John et Pascale firent leur apparition et elle leur réchauffa les viennoiseries, avant de leur servir du café.

Diana les rejoignit enfin, enroulée dans une serviette de plage. Ignorant superbement Gwen, elle s'affaira dans la cuisine. Robert se retint d'exploser. Ses amis — et surtout Pascale et Diana — n'avaient aucun droit de s'immiscer dans sa vie, pas plus qu'ils n'avaient le droit de mener la vie dure à son invitée. Il regretta presque que Gwen se soit donné la peine d'organiser cette journée sur le *Talitha G.* Ils ne méritaient pas un tel cadeau. Il termina son petit déjeuner sans un mot, puis il proposa à Gwen d'aller faire un tour sur le voilier.

— Que se passe-t-il, Robert ? demanda Gwen dès qu'ils furent sur le petit bateau. Tu as l'air contrarié...

— Je n'aime pas la façon dont mes amis te traitent. Elles, en tout cas. On dirait de vraies gamines et j'avoue que je commence à en avoir assez.

— Nous devons faire preuve de patience, dit Gwen avec indulgence. Il n'y a que ça.

— Je regretterais presque de t'avoir invitée, marmonna Robert. Tu n'as rien fait pour mériter ça.

Mû par une impulsion irrésistible, il la prit dans ses bras et embrassa ses lèvres avec fougue. Une sensation d'ivresse l'envahit aussitôt, une espèce de délicieux vertige qu'il n'avait pas éprouvé depuis des années. Leur baiser se prolongea de longues minutes, ardent et sensuel. Et quand il s'écarta, Gwen leva sur lui un regard lumineux. Ironie du sort, la perfidie de ses amies les avait en fin de compte rapprochés...

— Ça va ? demanda-t-elle dans un murmure, soudain inquiète de sa réaction.

Un sourire éclaira son visage. Il était beau et plein de vie !

— Divinement bien.

Il l'embrassa de nouveau. Cette fois, elle noua ses mains autour de sa nuque et, l'espace d'un instant, Robert perdit contact avec la réalité. Seule Gwen comptait pour lui, Gwen et la caresse exquise de ses lèvres.

Ils poursuivirent leur promenade en silence. Soudain, Gwen tendit l'index vers le large et Robert plissa les yeux. Il aperçut enfin le somptueux yacht à la coque effilée qui glissait lentement vers eux, couronné de deux cheminées étincelantes. Ils le contemplèrent un moment, émerveillés. Puis ils se regardèrent ; une joie immense pétillait dans leurs yeux.

— Je suis heureux avec toi, murmura Robert.

Gwen avait apporté un nouveau souffle à sa vie ; elle avait allumé en lui une espèce d'euphorie qu'il n'avait pas ressentie depuis une éternité. Comme il se réjouissait de passer la journée en mer avec elle ! Ils regagnèrent le ponton pour avertir les autres et remontèrent le chemin d'un pas léger, main dans la main. Jamais il ne s'était senti aussi bien, aussi épanoui, pas même auprès d'Anne, plus réservée, moins démonstrative. Gwen n'était que douceur, chaleur et sensualité.

Après avoir enfilé son maillot de bain et rassemblé quelques affaires, Robert alla rejoindre Gwen dans sa chambre. Elle portait une robe bain de soleil en fine cotonnade blanche ; ses cheveux flottaient librement dans son dos. En l'entendant arriver, elle se tourna vers lui et esquissa un sourire radieux. Il la prit dans ses bras et l'embrassa, enfin débarrassé du chagrin et de la culpabilité qui l'oppressaient jusqu'alors. Un mélange de soulagement, de quiétude et de tendresse envahit son cœur. Il ne la connaissait pas encore très bien mais, déjà, il savait que cette femme occuperait une place importante dans sa vie. Il y avait tant de choses qu'il aimait chez elle ! Sans un mot, ils descendirent rejoindre les autres, main dans la main, comme par défi. C'était Robert qui l'avait souhaité ainsi. Il espérait que ses amis accepteraient et respecteraient l'homme qu'il était devenu grâce à Gwen. Dans le cas contraire, il était prêt à en assumer les conséquences.

10

Ils passèrent une journée de rêve sur le *Talitha G* en compagnie de leurs hôtes, Henry Adams et sa femme, Cherie. Accueillant et charmant, Henry veilla à ce qu'aucun de ses invités ne manque de rien. L'acteur était d'une beauté à couper le souffle, et Pascale et Diana se pâmèrent presque en le voyant devant elles ! Un membre de l'équipage les conduisit à leurs cabines pour qu'ils puissent se changer. Cherie, Pascale et Diana sympathisèrent rapidement ; le top model que s'arrachaient les plus grands photographes de mode passa l'après-midi à flirter gentiment avec John, aux anges.

Après un repas gastronomique, ils s'allongèrent tous au soleil, savourant avec bonheur l'atmosphère d'opulence et d'oisiveté qui régnait sur le bateau. Confortablement installée sur une chaise longue, Diana se tourna vers Pascale.

— On s'habituerait vite à ce genre de vie, n'est-ce pas ? chuchota-t-elle, espiègle.

Comment Gwen supportait-elle de vivre dans leur vieille villa délabrée ? C'était un mystère pour elles. A moins qu'elle ne soit venue uniquement pour être auprès de Robert... A en juger par les regards et les sourires que ces deux-là échangèrent tout au long de la journée, c'était tout à fait possible. Séduisants en diable, richissimes et célèbres, ses amis veillaient à satisfaire ses moindres désirs, mais l'actrice n'avait d'yeux que pour Robert.

En fin de journée, ils jetèrent l'ancre dans le port de Saint-Tropez et dînèrent au salon, admirant les voiliers et les bateaux de plaisance qui peuplaient la marina. De petites embarcations s'approchèrent du yacht. Plusieurs touristes et quelques paparazzi réussirent même à voler un ou deux clichés. C'était une aubaine pour eux : cinq stars à bord du *Talitha G,* en train de boire du champagne, en maillot de bain. Cherie Adams avait ôté le haut de son bikini, mais Gwen s'était montrée plus pudique que son amie, parfaitement consciente de ce que pourrait devenir une photo d'elle seins nus dans n'importe quel journal à sensation.

Heureux et souriants, Robert et elle ne s'étaient pas quittés de la journée. Main dans la main, ils avaient parlé à voix basse, les yeux rivés sur les flots bleus de la Méditerranée, tandis que leurs compagnons jouaient aux cartes ou lézardaient au soleil.

A l'heure du dîner, tous se sentaient parfaitement à l'aise dans ce monde de rêve et, quand un Zodiac les ramena vers le ponton de leur villa, Diana eut l'impression d'être Cendrillon au dernier coup de minuit. Les laquais se transformèrent en souris et le carrosse en citrouille...

— Eh bien, quelle journée ! s'écria Pascale en fixant l'horizon d'un air béat.

A bord du *Talitha G,* les trois acteurs avaient été aux petits soins pour elle et elle avait déjà hâte de raconter cette fabuleuse aventure à sa mère. Reine d'un jour, c'était exactement ce qu'elle avait été.

— Ça laisse rêveur, hein ? fit Eric à l'adresse de John lorsqu'ils eurent regagné le salon.

Il leur servit un verre de vin.

— C'est un sacré train de vie que tu mènes là, ajouta-t-il en se tournant vers Gwen.

Après cette journée idyllique, il admirait encore plus l'extraordinaire simplicité de l'actrice. C'était aussi ce que Robert aimait chez elle ; Gwen se sentait aussi à l'aise avec ses amis de la jet-set qu'avec les siens.

Pour une fois, Diana et Pascale gardèrent leurs remarques acerbes. Elles semblèrent même se radoucir un peu. Si elles éprouvaient encore le besoin presque viscéral de protéger Robert, elles étaient forcées d'admettre que Gwen s'intéressait à lui pour ce qu'il était vraiment, et non pour ce qu'il pouvait lui apporter.

Un peu plus tard dans la soirée, Robert et Gwen sortirent prendre un verre au Gorille. Puis ils allèrent danser un peu. Avant de reprendre la voiture, il l'embrassa et la remercia pour la merveilleuse journée qu'elle leur avait offerte. Il ne put s'empêcher de rire en se remémorant l'expression éberluée de John, quand Cherie avait enlevé le haut de son maillot de bain.

— Ces gens-là sont adulés par des millions d'admirateurs et toi, tu les fréquentes en toute simplicité, fit-il observer, partagé entre l'admiration et l'étonnement.

Gwen hocha la tête en souriant. Elle ressemblait à une adolescente, dans la pâle clarté de la lune.

— Ils sont drôles et sympathiques, à petites doses.

En réalité, elle comptait peu de vrais amis dans le monde impitoyable de Hollywood.

— Le strass et les paillettes ne font pas le bonheur, j'en ai peur. Si on ne se méfie pas, on finit par se perdre dans tous ces artifices.

Robert hocha la tête. Sa lucidité l'emplissait d'admiration.

— Tu ne t'ennuies pas trop avec nous ? Nous sommes tous plus âgés que toi, après tout.

Gwen ne put s'empêcher de rire. S'il savait... Jamais aucun homme ne l'avait autant impressionnée que Robert. Elle l'admirait profondément et, avant même de le rejoindre à Saint-Tropez, elle avait su que ses sentiments pour lui évoluaient. Elle était en train de tomber amoureuse. La bonne nouvelle, c'est que Robert vivait apparemment les mêmes bouleversements.

— J'apprécie beaucoup tes amis, répondit-elle tandis qu'il prenait le volant. Ce n'est pas encore réciproque, mais je garde bon espoir. Je crois qu'ils me tiennent à l'écart par respect pour Anne. Mais ils finiront bien par comprendre que je ne veux prendre la place de personne ; j'aime simplement être auprès de toi.

— J'ai une chance inouïe de t'avoir pour moi, murmura Robert en se penchant pour l'embrasser.

— C'est moi qui ai de la chance, corrigea-t-elle tandis que la voiture s'engageait sur la route baignée par le clair de lune. Tu es drôle, intelligent, terriblement séduisant... Tu es aussi l'homme le plus adorable qu'il m'ait été donné de rencontrer.

Jetant un bref coup d'œil dans sa direction, il esquissa un sourire amusé.

— J'ai comme l'impression que tu as trop bu, ce soir...

Elle émit un petit rire et effleura son bras d'une légère caresse. La 2 CV remonta l'allée défoncée. Quelques minutes plus tard, Robert coupa le contact. Puis il la prit dans ses bras et l'embrassa tendrement. Main dans la main, ils entrèrent à pas de loup dans la maison endormie. Après un dernier baiser plus ardent que les autres, Robert souhaita bonne nuit à Gwen. Une fois dans sa chambre, il contempla le portrait d'Anne qu'il avait posé sur sa table de chevet. Que penserait-elle de tout ça, cette femme qui l'avait tant aimé ? Le prendrait-elle pour un vieil imbécile ou bien lui souhaiterait-elle de vivre heureux ? Des sentiments confus l'habitaient ; même s'il goûtait auprès de Gwen un bonheur indicible, il s'efforçait de se persuader que leur histoire ne serait qu'une passade, dont il se souviendrait avec nostalgie dans les années à venir.

Dès qu'il fut couché, ses pensées rejoignirent Gwen. Il brûlait d'envie d'aller frapper à sa porte, de la prendre dans ses bras et de l'embrasser à perdre haleine. Mais c'était encore trop tôt. Il redoutait de sentir le regard d'Anne peser sur lui et il refusait de trahir l'une ou l'autre.

Cette nuit-là, Anne et Gwen apparurent dans ses rêves. Bras dessus, bras dessous, elles se promenaient dans un beau jardin, tandis que ses amis pointaient sur lui un doigt accusateur, en hurlant des paroles qu'il ne comprit pas. C'était un rêve troublant et il se réveilla plusieurs fois, en proie à une sensation de malaise. Et lorsqu'il se rendormit, il rêva de sa fille, Amanda. Elle tenait à la main la photo de sa mère et posait sur lui un regard voilé de tristesse.

« Tu ne peux pas savoir à quel point elle me manque, murmurait-elle.

— Elle me manque aussi, confessait-il, le visage baigné de larmes. »

Quand il se réveilla, ses joues étaient encore humides, et il resta un long moment au lit, songeant d'abord à Anne, puis à Gwen.

Un coup frappé à la porte l'arracha à sa songerie. Il enfila à la hâte un pantalon en toile et alla ouvrir. Gwen se tenait sur le seuil de sa chambre. Il était encore tôt, les autres dormaient toujours.

— Bonjour, chuchota Gwen. As-tu passé une bonne nuit ? Je ne sais pas vraiment pourquoi, mais je me faisais du souci pour toi.

Elle était très belle dans sa chemise de nuit blanche, pieds nus.

— J'ai fait un rêve étrange, avoua Robert. Tu te promenais dans un jardin avec Anne.

La stupeur se lut sur le visage de sa compagne.

— C'est incroyable, j'ai fait le même rêve. J'ai mis beaucoup de temps avant de m'endormir, hier soir. Je n'arrêtais pas de penser à toi, ajouta-t-elle en contemplant son beau visage auréolé d'une épaisse chevelure ébouriffée.

— J'ai beaucoup pensé à toi, moi aussi. On aurait peut-être dû se rejoindre, dit-il d'une voix à peine audible.

Ils se regardèrent longuement sans un mot. Un sourire joua sur les lèvres de Gwen.

— Je vais prendre une douche. Retrouvons-nous en bas, dans dix minutes.

Ils se rejoignirent dans la cuisine. Rasé de près, Robert avait revêtu un bermuda et un tee-shirt. Gwen portait un petit short blanc et un débardeur tout simple, rien de comparable avec la tenue flamboyante qu'Agathe avait choisie ce jour-là : brassière en tulle fuchsia piquetée de boutons de rose et caleçon assorti. Quand Eric les rejoignit un moment plus tard, il fit remarquer qu'elle ressemblait comme deux gouttes d'eau à ses caniches. Les tenues d'Agathe les surprenaient de jour en jour et c'était devenu un jeu, pour eux, de parier sur les vêtements qu'elle arborerait le matin. Le spectacle était plus divertissant que toutes les émissions de télé !

Au moment où Diana entrait dans la cuisine, Pascale annonça à Eric que quelqu'un désirait lui parler au téléphone. C'était un appel des Etats-Unis. Personnel, avait précisé la standardiste. Il fronça les sourcils et alla répondre au salon, détail qui n'échappa pas à sa femme. Mais quand il reparut dix minutes plus tard, son visage ne trahissait aucune émotion.

— C'était un de mes associés, lança-t-il à la cantonade.

Les yeux rivés sur son croissant, Diana prit une grande gorgée de café comme si c'était du whisky. En trente-deux ans de mariage, aucun de ses associés ne l'avait jamais dérangé pendant ses vacances. Diana attendit qu'ils soient seuls au salon pour donner libre cours à sa fureur.

— C'était elle, n'est-ce pas ? C'était Barbara ?

Il hésita un moment avant d'acquiescer d'un signe de tête. Il n'avait plus envie de mentir.

— Pourquoi t'appelait-elle ?

— A ton avis ? Figure-toi que ce n'est pas facile pour elle non plus.

— L'épouseras-tu si je décide de te quitter ?

C'était ce qui l'inquiétait le plus depuis quelque temps. Elle avait encore du mal à croire que leur liaison était réellement terminée, malgré ce qu'affirmait Eric.

— Bien sûr que non, Diana. J'ai trente ans de plus qu'elle... De toute façon, ce n'est pas la question. Je t'aime. J'ai commis une terrible erreur. J'ai eu tort sur toute la ligne, je le reconnais. Mais je t'en prie, Diana, efforçons-nous de tourner la page et repartons sur de nouvelles bases.

— C'est facile à dire, pour toi, riposta Diana en posant sur lui un regard tourmenté.

Pour sa part, elle n'y arrivait pas. Trahie, rejetée, elle se sentait vieille et peu désirable. A plusieurs reprises, Eric avait essayé de lui faire l'amour depuis le début des vacances, mais elle l'avait repoussé. C'était au-dessus de ses forces. Et l'avenir lui paraissait bien incertain.

— Que dois-je dire pour te convaincre d'attendre encore un peu ? J'espère seulement qu'avec le temps tu sauras me redonner ta confiance.

En attendant, il ne lui restait plus qu'à prendre son mal en patience et tenter de racheter sa faute. C'était une situation éprouvante pour chacun d'entre eux. Barbara le suppliait de renouer ; elle avait obtenu de sa secrétaire, prise de pitié, le numéro de la villa. Mais il s'était montré catégorique : tout était fini entre eux, elle devait cesser de l'appeler. Elle sanglotait quand il avait raccroché. Comme il se méprisait pour tout le mal qu'il avait fait autour de lui ! Malheureusement, il ne pouvait s'en prendre qu'à lui-même.

Dans le silence qui suivit ses dernières paroles, Gwen fit son apparition, gaie comme un pinson. Mais son sourire s'évanouit dès qu'elle aperçut leurs visages fermés. Il était évident qu'ils venaient de se disputer.

— Désolée, je ne voulais pas vous déranger, murmura-t-elle en traversant la pièce rapidement.

Robert entra quelques instants plus tard.

— Ça te dit de venir faire un tour en bateau ? demanda-t-il à Eric, totalement indifférent à la tension qui régnait dans la pièce.

Les Donnally ne lui avaient pas parlé des problèmes de couple d'Eric et Diana, et il était à mille lieues d'imaginer la gravité de la situation.

— Bien sûr, s'empressa de répondre Eric, heureux de pouvoir s'échapper. Je vais mettre mon maillot de bain.

— Tu veux venir avec nous, Diana ? demanda Robert.

Mais celle-ci déclina l'invitation aussi précipitamment que son mari l'avait acceptée.

— Je vais au marché avec Pascale, expliqua-t-elle avant de tourner les talons.

Robert croisa John à l'étage. Il sortait de sa chambre, tenant à la main la tige des toilettes, qui avait de nouveau cédé. Il déclina à son tour l'invitation de Robert ; il devait passer quelques coups de fil au bureau.

A la grande surprise de Robert — à sa grande déception, surtout —, Gwen décida de rester à la maison. Elle prétexta un mal de tête, mais l'expression d'Eric lui avait donné à penser que les deux amis avaient besoin de se retrouver seuls. Et puis elle ne s'ennuierait pas : elle avait quelques lettres à écrire. Robert l'embrassa avant de descendre vers le ponton en compagnie d'Eric.

Un calme reposant régnait dans la maison. Assise à la table du salon, Gwen commença à écrire ses cartes postales. John était au téléphone dans la cuisine. Sa voix lui parvenait dans un murmure, tandis que l'odeur de son cigare flottait jusqu'au salon. Dans le jardin, les oiseaux gazouillaient joyeusement. Malgré son air délabré et ses mille et une imperfections, c'était une maison agréable et elle ne regrettait pas d'être venue.

John s'était tu depuis un petit moment, quand elle se rendit à la cuisine pour se servir une tasse de café. Elle se figea sur le seuil, interdite. Effondré sur la table, le visage écrasé sur ses dossiers, John ne bougeait plus. Il tenait encore à la main le combiné du téléphone, la tonalité bourdonnait bizarrement dans la pièce. Vive comme l'éclair, elle se précipita vers lui, le secoua par les épaules, appela son nom. Comme elle n'obtenait aucune réaction, elle l'allongea avec précaution sur le carrelage pour mieux l'examiner. Il respirait à peine, son pouls était presque imperceptible. Agathe et Marius n'étaient pas dans les parages, les autres étaient tous partis. Elle était seule.

— John ! John ! appela-t-elle encore, gagnée par la panique.

Elle le secoua doucement. Sans succès. Il cessa brusquement de respirer et son teint prit une couleur grisâtre. Mon Dieu, que s'était-il passé ? Elle balaya la pièce du regard, à la recherche d'un indice. Sur la table se trouvait une assiette garnie de saucisson coupé en petits morceaux. S'était-il étouffé en mangeant ? Ou était-il victime d'une crise cardiaque ? Gwen songea aussitôt à la manœuvre de Heimlich qu'elle avait apprise des années auparavant, en même temps que le bouche-à-bouche. Robert était couché sur le dos, la manœuvre ne serait pas facile à réaliser, mais il n'y avait rien d'autre à faire.

Elle explora sa bouche du bout des doigts, mais ne trouva rien de suspect. Elle se pencha alors vers lui et insuffla trois courtes bouffées d'air. Ses voies respiratoires étaient obstruées, elle avait l'impression de souffler contre un mur. N'écoutant que son instinct, elle s'assit à cheval sur lui et, joignant ses poings au-dessus de son nombril, elle appuya fortement sur son abdomen... et pria.

Ses lèvres commençaient à bleuir. S'efforçant de garder son sang-froid, Gwen renouvela l'opération encore, et encore, et encore... jusqu'à ce que, dans un raclement de gorge effrayant, un morceau de saucisson de la taille d'un bouchon de champagne jaillisse de la bouche de John pour atterrir un bon mètre plus loin. Aussitôt, elle le fit rouler sur le côté et il vomit abondamment, en essayant tant bien que mal de reprendre son souffle. Au moins, il respirait. Le morceau de saucisson logé au fond de sa gorge avait bien failli le tuer. Il s'écoula plusieurs minutes avant qu'il s'allonge sur le dos et lève les yeux vers elle.

— Je me suis étranglé, dit-il d'une voix enrouée.

— Je sais. Comment te sens-tu ? demanda Gwen, encore très inquiète.

— Un peu faible. J'étais en train de parler au téléphone, j'ai pris un bout de saucisson et il s'est coincé en travers de ma gorge. Je ne pouvais plus articuler le moindre son, expliqua-t-il en se remémorant la terreur qui l'avait alors envahi.

Pâle comme un linge, il tremblait encore de tous ses membres.

— Veux-tu que je te conduise à l'hôpital ?

Elle ramassa les restes de son petit déjeuner et lui nettoya le visage avec un torchon humide. John posa sur elle un regard plein de reconnaissance.

— Merci, Gwen. Tu m'as sauvé la vie.

C'était la vérité, ils en étaient conscients tous les deux. Il aurait pu mourir ou souffrir de séquelles cérébrales irréversibles si elle avait mis davantage de temps à réagir.

— Je me sens déjà mieux. Il faut juste que je reprenne mon souffle.

— Tu es sûr ? Eric pourra toujours t'examiner, quand il rentrera.

Elle ramassa le morceau de saucisson et l'enveloppa dans un autre torchon pour le montrer à Eric. Puis elle aida John à s'asseoir sur une chaise et lui servit un verre d'eau qu'il but à petites gorgées. A son grand soulagement, son visage reprit des couleurs.

— Seigneur, heureusement que tu étais là, reprit-il, encore sous le choc. Au fait, pourquoi n'es-tu pas partie avec les autres ?

— J'ai eu l'impression qu'Eric avait envie de parler à Robert seul à seul, et Pascale et Diana n'avaient pas l'air très chaudes pour que je les accompagne.

— Ça leur passera, dit-il en lui tapotant gentiment la main. Anne était leur meilleure amie. Ce n'est pas facile de le voir avec une autre femme, mais il a beaucoup de chance de t'avoir rencontrée. *Nous* avons de la chance, en fait. Sois patiente avec nous, Gwen, nous finirons tous par ouvrir les yeux, conclut-il avec une sincérité qui lui alla droit au cœur.

Elle était encore en train de discuter avec John dans la cuisine quand Robert et Eric rentrèrent de leur promenade en bateau, deux heures plus tard. Entre-temps, John était allé se doucher et il s'était changé. Puis il avait rejoint Gwen et ils s'étaient mis à parler de choses et d'autres, sans tabou. De la vie en général, des amis, de la mort et de Robert. John lui vouait une admiration sans borne. Comme les autres, il ne souhaitait que son bonheur.

— Vous avez tout loupé ! lança-t-il avec entrain quand ses amis firent leur apparition.

Malgré son apparente décontraction, il n'avait pas allumé de cigare depuis l'incident et il semblait encore légèrement ébranlé. Gwen fut soulagée de voir Eric.

— J'ai essayé de me suicider avec un bout de saucisse. C'est comme ça qu'ils s'y prennent, ici. Mais, comme tout le reste dans ce pays, ça n'a pas marché. Pour être plus précis, Gwen m'a sauvé la vie.

— Qu'est-ce que c'est que cette histoire ? fit Robert en riant.

Eric les dévisagea à tour de rôle, perplexe.

— Je suis très sérieux, reprit John avant de leur expliquer sa mésaventure.

Les deux amis l'écoutèrent, abasourdis.

— J'ai gardé la pièce à conviction, ajouta Gwen en tendant le torchon à Eric.

Ce dernier poussa une exclamation horrifiée en découvrant le morceau de saucisson.

— Est-ce que tu sais que ça aurait pu bloquer ta trachée et te tuer ?

Il se tourna ensuite vers Gwen et la remercia chaleureusement de sa présence d'esprit et de sa ténacité.

— Quant à toi, un petit conseil, ajouta-t-il à l'adresse de John, prends des bouchées plus petites à l'avenir.

Sur ce, il disparut et revint quelques minutes plus tard, armé d'un stéthoscope et d'un tensiomètre. Il examina John, mais tout était rentré dans l'ordre. Comme pour le prouver, ce dernier alluma un cigare. Au même instant, Pascale et Diana rentrèrent du marché. Il portait encore le manchon du tensio-

mètre autour du bras, et Pascale s'immobilisa, interloquée.

— A quel jeu jouez-vous encore, vous autres ?
lança-t-elle d'un ton narquois.

— Gwen a proposé de retirer le haut de son
maillot de bain et Eric voulait contrôler ma tension
pour voir quel effet elle produirait sur moi, répondit
John avec un grand sourire.

Gwen protesta avec véhémence, mais Pascale se
contenta de secouer la tête.

— Très drôle, marmonna-t-elle. Quelque chose
ne va pas ? reprit-elle en apercevant les mines sombres d'Eric et de Robert.

— Ton mari s'est étranglé avec un bout de saucisson, répondit Eric. Il a failli mourir. Gwen l'a trouvé
inconscient dans la cuisine. Elle lui a fait la manœuvre de Heimlich et lui a sauvé la vie. Voilà ce qui
s'est passé, en résumé.

— *Mon Dieu*, comment est-ce arrivé ? s'écria
Pascale, atterrée.

Elle remercia Gwen du regard, avant d'étreindre
son mari.

— Comment te sens-tu ? Qu'est-ce que tu fabri-
quais ?

— Je parlais au téléphone, je fumais et je mangeais.
Gwen est un ange tombé du ciel. Je serais six pieds
sous terre à l'heure qu'il est, si elle n'avait pas été là.

Malgré son air fanfaron, Pascale devina que son
mari avait eu très peur. En proie à une vive émotion,
elle se dirigea vers Gwen et la serra dans ses bras.

— Merci... je ne sais pas quoi dire... merci infiniment.

Coucher de soleil à Saint-Tropez

— Qu'est-ce qu'on mange, à midi ? demanda John avec un sourire innocent.

Pascale leva les yeux au ciel en soupirant.

— J'ai acheté du boudin noir au marché, mais tu es privé de saucisson. Je te nourrirai de purées jusqu'à ce que tu apprennes à manger correctement.

Passant un bras sur les épaules de sa femme, John l'embrassa tendrement. C'était comme s'il venait de recevoir la vie en cadeau — peut-être ne l'avait-il pas méritée, mais il avait bien l'intention d'en profiter pleinement.

Ce jour-là, le déjeuner se déroula dans un joyeux brouhaha. Même Eric et Diana oublièrent pour un temps leur différend pour se joindre à la bonne humeur ambiante. Le destin venait de leur épargner une nouvelle catastrophe. John rayonnait de bonheur. Après le repas, Pascale et lui montèrent faire une sieste, pendant qu'Eric proposait à sa femme d'aller marcher un peu. Livrés à eux-mêmes, Robert et Gwen descendirent à la plage et s'allongèrent au soleil. Elle lui raconta en détail ce qui s'était passé avec John, et il l'écouta en secouant la tête, se remémorant en silence le cauchemar qu'il avait vécu, la nuit où il avait trouvé Anne inconsciente, dans la salle de bains de leur appartement.

— John a eu de la chance que tu le trouves à temps.

— Je suis heureuse d'avoir pu le sauver, murmura Gwen, encore secouée par l'incident.

Robert l'enveloppa d'un regard débordant de tendresse.

212

— Et moi, je suis heureux de t'avoir trouvée, Gwen. Je ne suis pas encore sûr d'être tout à fait prêt à t'ouvrir mon cœur, je ne suis pas sûr non plus d'être à la hauteur. Mais j'éprouve pour toi des sentiments très profonds.

Il était en train de tomber amoureux d'elle, voilà ce qu'il cherchait timidement à lui faire comprendre. Gwen ressentait la même chose de son côté et ces vacances dans le sud de la France, avec ses amis, renforçaient encore le lien qui s'était tissé entre eux.

— La vie nous joue des tours bizarres, n'est-ce pas ? Jamais je n'aurais cru qu'Anne partirait avant moi. Jamais je n'aurais cru qu'il y aurait une autre femme dans ma vie. Eric m'a confié ses problèmes, aujourd'hui. C'est drôle, dès qu'on croit tenir quelque chose pour de bon, tout s'écroule et il faut repartir de zéro. Et quand on croit que la vie s'arrête, une nouvelle chance se présente et tout recommence. C'est peut-être pour ça, au fond, que la vie vaut la peine d'être vécue...

— Moi non plus, je ne pensais pas rencontrer un homme qui compterait de nouveau pour moi, avoua Gwen. Je pensais que j'avais fait suffisamment d'erreurs comme ça, que j'avais brûlé toutes mes chances. Peut-être que non, finalement...

Ils restèrent un long moment sans parler, les yeux fixés sur la mer, songeant tous les deux à leur passé et à l'avenir qui s'offrait à eux.

— Je t'aime, Gwen, déclara soudain Robert en se tournant vers elle. Je ne suis pas sûr d'être l'homme qu'il te faut. Je suis trop vieux, nous évoluons dans des mondes complètement différents. Mais qui sait, c'est peut-être la meilleure chose qui puisse nous arriver, à tous les deux.

Un sourire joua sur ses lèvres et il mit un bras autour de ses épaules.

— Attendons de voir ce que la vie nous réserve.

— Je t'aime aussi, Robert, chuchota-t-elle en plongeant son regard dans le sien.

Leurs lèvres s'unirent dans un baiser passionné, tandis que le soleil dardait ses rayons brûlants sur Saint-Tropez.

11

A partir de ce jour-là, l'atmosphère commença à se détendre, et chacun fit des efforts pour se montrer plus agréable avec Gwen. Ce ne fut pas un changement radical et immédiat, mais plutôt une succession de signes, révélateurs d'une bonne volonté générale. Quand Pascale et Diana décidèrent d'aller au marché, elles invitèrent Gwen à se joindre à elles. D'abord timide et neutre, la conversation devint plus animée, plus intime. Elle les aida à faire les achats et porta les paniers avec elles. Le matin, elle prit l'habitude de préparer le petit déjeuner pour tout le monde. Elle rangeait la cuisine après que Pascale avait concocté un de ses petits plats pour le dîner.

Le soir où celle-ci, prise de violentes nausées, partit se coucher avant tout le monde, Gwen la remplaça aux fourneaux et pensa à lui apporter un bouillon léger. Victime d'une intoxication alimentaire après avoir mangé des fruits de mer avariés dans une brasserie du port, Pascale resta au lit plusieurs jours d'affilée.

Craignant que son amie ait contracté une salmonellose ou une hépatite, Eric insista pour qu'elle aille consulter un médecin, mais Pascale refusa catégoriquement, arguant qu'elle se sentait déjà mieux.

Au bout d'une semaine de cohabitation avec Gwen, Diana se résolut enfin à baisser la garde. Désormais très à l'aise avec l'actrice, elle se surprit même à lui confier ses problèmes de couple et l'infidélité d'Eric. Gwen l'écouta sans rien dire puis, incapable de se taire plus longtemps, elle décida de lui livrer le fond de sa pensée.

— Je n'ai pas de conseil à te donner, Diana, je ne peux rien décider à ta place, commença-t-elle prudemment, mais j'ai traversé la même épreuve, il y a quelques années. En apprenant que mon mari m'avait trompée, je suis partie sans autre forme de procès, je l'ai quitté et j'ai demandé le divorce. Cela faisait neuf ans que nous étions ensemble. D'une certaine manière, je crois que c'est moi qui l'ai poussé à épouser sa maîtresse. Je ne pense pas qu'il l'aurait fait, si je n'avais pas réagi aussi brutalement. Je ne lui ai plus jamais adressé la parole, j'ai refusé de le voir. Il s'est suicidé six mois après son remariage et sa nouvelle femme m'a avoué qu'il n'avait jamais cessé de m'aimer. Le plus idiot… le plus terrible, plutôt, c'est que je l'aimais toujours, moi aussi. Je ne veux pas te faire peur en te racontant mon histoire. Eric ne réagirait probablement pas comme ça, mais j'aimerais simplement te faire comprendre que j'ai encore le sentiment d'avoir ruiné mon mariage par orgueil. Sa trahison m'avait brisée, j'étais sûre de ne jamais pouvoir lui pardonner, à l'époque. Il m'avait trompée avec ma meilleure amie ! Mais je sais aujourd'hui que j'ai commis une terrible erreur en le rejetant. Si c'était à refaire, je mettrais mon amour-propre dans ma poche et je resterais. Sois plus raisonnable que moi. C'est normal d'être blessée et amère, mais essaie de ne pas tout gâcher sur un coup de tête, conclut-elle d'une voix pleine de larmes.

Diana acquiesça, en proie à une vive émotion. Elles continuèrent à essuyer la vaisselle sans rien dire. Quand Eric entra dans la cuisine quelques minutes plus tard, Diana détourna brusquement les yeux. L'histoire de Gwen l'avait bouleversée. Ce n'était pas tant l'issue dramatique que la leçon de vie qu'elle portait. Car il était question d'amour et de pardon, comme si les deux étaient intimement liés.

Ce soir-là, Gwen raconta à Robert qu'elle s'était confiée à Diana.

— C'est une bonne chose, déclara ce dernier. De mon côté, j'essaie tant bien que mal de remonter le moral d'Eric, mais il est plutôt découragé. Diana est furieuse contre lui, ce qui peut se comprendre. S'ils arrivent à surmonter cette épreuve ensemble, leur amour n'en sera que plus fort, j'en suis persuadé. Mais Eric ne sait toujours pas si Diana acceptera de lui pardonner.

Le lendemain, Gwen prépara le petit déjeuner pour tout le monde. Pascale se sentait encore trop faible pour se lever. John avait l'air inquiet quand il les rejoignit à la cuisine.

— Elle a une mine épouvantable, confia-t-il à Eric. Elle ne veut pas l'admettre, mais elle ne se sent pas bien du tout. J'aimerais vraiment qu'elle aille voir un médecin, il lui prescrira sans doute un traitement.

— J'irai l'examiner après, proposa Eric.

John le remercia, soulagé. Dès qu'il eut avalé ses tranches de pain perdu, Eric monta à l'étage. Pascale lui confia ses petits tracas ; c'était sans gravité, assura-t-elle. Juste une sensation de malaise général et une grande fatigue, sans doute liées à son intoxication alimentaire. Mais il n'y avait pas de quoi s'inquiéter.

Eric se chargea de rassurer John, qui hocha la tête sans conviction. Il aurait tout de même préféré que sa femme aille voir un médecin, mais elle ne voulait rien entendre.

Quand le petit groupe se retrouva pour le déjeuner — Pascale avait même trouvé le courage de descendre, légèrement revigorée —, Robert et Gwen annoncèrent leur intention de prolonger leur séjour d'une semaine.

— Hourra ! s'écria Diana avant de refermer la bouche, soudain gênée par cette démonstration publique d'amitié.

Les deux femmes échangèrent un regard complice. Face à la douceur et à la générosité de Gwen, aucune d'elles ne s'inquiétait plus pour Robert. Ce dernier avait fait le bon choix, elles auraient dû lui faire confiance dès le départ. Mais elles étaient en train de faire amende honorable, n'était-ce pas l'essentiel ? Heureux pour son ami, John confia ses sentiments à Pascale un peu plus tard.

— Tu te rends compte, il va mener une vie trépidante avec Gwen, commença-t-il, songeur. Une liaison avec une star de cinéma... Rien de tel pour rajeunir de vingt ans !

— Il n'a pas besoin d'une « star de cinéma » pour être heureux, répliqua Pascale, encore sur ses gardes. Ce qu'il lui faut, c'est une compagne qui prenne soin de lui, une vraie femme, une confidente.

— Gwen est tout ça à la fois ! Regarde, elle accomplit de bonne grâce toutes les corvées ménagères, elle a supporté sans rechigner toutes vos mesquineries, elle s'intéresse à chacun de nous... et le plus important, ajouta-t-il les yeux pétillants, le plus important, c'est qu'elle aime Robert. Et il l'aime aussi. Voilà ce que j'en pense !

Pascale fronça les sourcils.

— Tu crois qu'ils vont se marier ?

— A quoi bon se marier, à nos âges ? Ils n'auront pas d'enfants, de toute façon. Non, ils souhaitent seulement passer de bons moments ensemble.

— Tant mieux, fit Pascale, soulagée.

John la considéra avec attention.

— Et toi, quand vas-tu te décider à aller voir le docteur ? Imagine que tu aies contracté un virus, il te faudrait des antibiotiques...

— Tout ce qu'il me faut, c'est du repos, coupa Pascale avec fermeté.

En proie à une extrême lassitude, elle passait toutes ses matinées à attendre l'heure de la sieste. Cet après-midi-là, elle dormait encore quand Eric, Robert et Gwen rentrèrent à 5 heures d'une balade en voilier. Allongée sur une chaise longue, Diana lisait au jardin. John était parti à l'hôtel voisin envoyer un fax.

— Vous vous êtes bien amusés ? s'enquit Diana en gratifiant son mari d'un sourire timide.

Elle avait pensé à lui tout l'après-midi, se remémorant longuement les paroles de Gwen. Elle lui en voulait encore terriblement, mais elle commençait à réaliser que la déception et le chagrin qui la minaient finiraient par s'atténuer avec le temps. Peut-être même réussirait-elle à lui pardonner. Elle avait songé à tout ce qu'ils avaient vécu ensemble, à tout ce qu'elle aimait chez lui et, bien qu'elle le détestât pour ce qu'il lui avait fait, elle arrivait presque à comprendre ce qui s'était passé. Ç'avait sans doute été pour lui comme un bain de jouvence, une manière de s'accrocher à sa jeunesse passée. Lui en voudrait-elle jusqu'à la fin de ses jours ? Elle n'en était plus sûre du tout. Eric croisa son regard et se raidit. Pour la première fois depuis des semaines, il venait d'y déceler une lueur qui l'emplit d'espoir.

— Oui, c'était très sympa, répondit-il en s'asseyant au bout de la chaise longue quand elle eut replié ses jambes pour lui faire de la place. Tu m'as manqué, confessa-t-il d'un ton mal assuré.

Comme par enchantement, les autres disparurent à l'intérieur.

— J'ai pensé à toi tout l'après-midi.

— Moi aussi, avoua Diana.

Elle n'en dit pas davantage mais, déjà, elle sentait fondre l'étau de glace qui enserrait son cœur.

— J'aimerais tant que nous soyons de nouveau heureux tous les deux, Diana. J'ai fait une bêtise, j'en suis conscient. Et je comprends que tu aies peur de me redonner ta confiance. Mais j'espère qu'avec le temps tout redeviendra comme avant.

— Je l'espère aussi, dit-elle avec sincérité. Attendons un peu...

C'était la seule promesse qu'elle pouvait lui faire pour le moment. Mais c'était déjà un grand pas. Quand ils regagnèrent leur chambre un peu plus tard, elle était d'humeur plus légère et partit d'un rire cristallin, lorsque Eric la taquina gentiment.

— Si nous allions dîner au restaurant, ce soir ? suggéra-t-il à brûle-pourpoint.

Elle réfléchit un instant, puis hocha la tête.

— Et les autres ?

— Sortons tous les deux, pour une fois. Ils se débrouilleront très bien sans nous.

Eric était à la fois heureux et soulagé d'avoir renoué le dialogue avec son épouse. La roue avait enfin tourné...

Pascale préféra rester au lit et John se plongea dans la lecture d'un dossier qu'il avait emporté avec lui. Quant à Robert et Gwen, ils décidèrent d'aller dîner sur le port de Saint-Tropez.

Plus tard dans la soirée, ils retournèrent prendre un verre au bar Le Gorille. Comme toujours, ils bavardèrent joyeusement et rirent beaucoup. Tout à coup, Robert posa sur Gwen un regard empreint de gravité puis, la prenant par la main, il murmura :

— Viens, rentrons.

Gwen haussa les sourcils, surprise par ce soudain revirement.

— Tu es fatigué ?

Mais il paraissait heureux et détendu. Il régla l'addition et ils regagnèrent la villa en 2 CV. Un silence cotonneux régnait dans la maison. Eric et

Diana n'étaient pas encore rentrés. La chambre de John et Pascale était plongée dans l'obscurité. Gwen et Robert chuchotaient comme deux collégiens en longeant le couloir.

— Bonne nuit, Robert...

Il l'embrassa longuement. Puis, saisi d'une soudaine timidité, il l'enveloppa d'un regard voilé par le désir.

— Je... je me demandais si... Voudrais-tu passer la nuit avec moi, Gwen ? demanda-t-il à mi-voix en rougissant dans la pénombre.

— Ce serait un immense bonheur.

Les choses avaient évolué en douceur entre eux, presque à leur insu. Ce soir-là, sans qu'il puisse s'expliquer pourquoi, Robert avait senti qu'ils étaient prêts à franchir le pas. Une grande sérénité l'habitait. La nuit passée, il avait encore rêvé d'Anne, mais, cette fois, un sourire radieux éclairait son visage ; elle lui avait donné un baiser d'adieu. Puis elle s'était éloignée en lui adressant un dernier signe de la main. Des larmes baignaient son visage quand il s'était réveillé, mais c'étaient des larmes de soulagement. Il savait à présent qu'elle était heureuse, où qu'elle se trouve. Bouleversé, il avait confié son rêve à Gwen.

Il alluma une petite lampe de chevet et Gwen le suivit à l'intérieur. Le regard de cette dernière glissa sur la photo d'Anne et, l'espace d'un instant, elle sentit son cœur se serrer. Il avait passé tant d'années de bonheur auprès de son épouse ! Mais il lui restait ses enfants, ses souvenirs.

Et puis Gwen était là, bien vivante. Il demeura un moment immobile, les yeux rivés sur elle, savourant d'avance les moments qu'ils s'apprêtaient à partager. Puis il tendit la main vers elle. Elle s'approcha et le serra fort dans ses bras, comme pour le débarrasser du chagrin et de la tristesse qu'il ressentait peut-être encore.

— Je t'aime, Robert, avoua-t-elle dans un souffle. Tout ira bien.

Il hocha la tête en silence. Des larmes brillaient dans ses yeux lorsqu'il se pencha pour capturer ses lèvres. Des larmes d'adieu à Anne. Des larmes d'amour pour Gwen. Peu à peu, un océan de volupté les emporta tous les deux, leurs baisers se firent plus fougueux, plus audacieux. Ils s'allongèrent sur le lit sans cesser de s'embrasser. Gwen avait un corps magnifique, il avait déjà eu l'occasion de l'admirer à la plage, mais, ce soir-là, c'était son cœur qu'il désirait conquérir.

Après bien des caresses, ils se blottirent l'un contre l'autre, alanguis et heureux. Levant les yeux vers lui, Gwen esquissa un sourire béat.

— Tu me donnes tellement de bonheur...

Incapable d'articuler le moindre son, Robert resserra son étreinte. Gwen était l'un des plus beaux cadeaux de sa vie.

12

En sortant de la chambre de Robert le lendemain matin, ils croisèrent Diana. Une grande inquiétude se lisait sur son visage. Elle venait d'aller voir Pascale. La pauvre continuait à souffrir de violentes nausées. Ignorant ses protestations, John avait pris rendez-vous chez un médecin de Saint-Tropez.

— De quoi souffre-t-elle, à ton avis ? demanda Gwen à l'adresse d'Eric lorsqu'ils se retrouvèrent pour le petit déjeuner.

— Je ne suis pas sûr. C'est peut-être une infection bactérienne. Toujours est-il qu'elle a besoin d'être soignée avant que ça dégénère. Il n'est pas exclu que le médecin l'envoie passer quelques jours à l'hôpital ; elle risque une déshydratation à force de vomir.

Malgré tout, Eric semblait moins préoccupé que John. Robert et Gwen décidèrent de partir en ville ; ils avaient du courrier à poster. Dès qu'ils furent seuls, Diana se tourna vers son mari d'un air espiègle.

— Devine qui est sortie de la chambre de Robert avec un sourire radieux, ce matin... ?

Eric fit mine de réfléchir.

— Mmm... Attends un peu... Agathe ?

Ils avaient passé une merveilleuse soirée, la veille. Après leur dîner en tête à tête, ils avaient dansé jusqu'aux premières lueurs de l'aube. Pour la première fois depuis deux mois, une lumière brillait au bout du tunnel. S'ils n'étaient pas encore totalement sortis d'affaire, ils étaient néanmoins sur le bon chemin. Un sourire amusé joua sur les lèvres de Diana.

— Non, idiot... Gwen ! s'exclama-t-elle d'un ton triomphant, comme si elle avait déjà oublié ses réticences initiales.

— Dommage, j'aurais préféré que ce soit Agathe, plaisanta Eric. J'aurais été impatient de voir quelles tenues elle aurait mises dans sa valise pour venir à New York ! Bon, trêve de plaisanterie, je suis ravi pour eux. Ils méritent largement d'être heureux. Elle est adorable et Robert est un type bien.

Comme le reste du groupe, il était tombé sous le charme de Gwen. Grâce à elle, Robert avait retrouvé le goût de vivre. Sept mois s'étaient écoulés depuis le décès d'Anne ; sept mois emplis de tristesse et de désespoir pour son époux. Certains penseraient peut-être que son deuil n'avait pas duré assez longtemps, mais pouvait-on quantifier ce genre de chose ? Eric n'en était pas sûr. Tout ce qui comptait pour lui à présent, c'était que son ami soit heureux.

— Je me demande comment vont réagir ses enfants, fit Diana d'un air songeur.

Eric haussa les épaules.

— Robert a le droit de faire ce que bon lui semble ; il n'a pas besoin de la bénédiction de ses enfants.

— Ils ne seront peut-être pas de ton avis.

— Ils devront bien s'y faire, en tout cas. Il a tout de même le droit de vivre. Je suis sûre qu'Anne aurait souhaité qu'il tourne la page. Ce n'est pas parce qu'il est amoureux d'une autre femme qu'elle ne compte plus pour lui. Elle restera toujours dans son cœur, c'est évident. Ses enfants finiront par le comprendre.

Diana hocha la tête, entièrement d'accord avec son époux. A cet instant, John fit son apparition. Il s'apprêtait à conduire Pascale chez le médecin et pensait être de retour à l'heure du déjeuner.

— Veux-tu que je vienne avec vous ? proposa Diana.

Mais John déclina son offre. Ils se débrouilleraient tous les deux. Au grand soulagement d'Eric et de Diana, Pascale ne semblait pas aussi mal en point quand elle les rejoignit — elle se sentait seulement très fatiguée. Un traitement adéquat éliminerait rapidement le virus ou la bactérie qu'elle avait attrapé. Malgré tout, John avait hâte de rentrer à New York, afin de la faire examiner par un médecin américain. Les généralistes français ne lui inspiraient aucune confiance… comme tout ce qui touchait à la France.

En chemin, il énuméra allègrement les choses qui lui faisaient horreur dans ce pays. Pascale était à deux doigts de l'étrangler. Heureusement, ils arrivèrent enfin au cabinet du médecin. Elle vomit encore en attendant son tour et fondit en larmes, à bout de nerfs.

— Je me sens tellement mal, gémit-elle entre deux sanglots. Ça fait une semaine que ça dure.

— Je sais, chérie, mais le médecin va te soigner, ne t'inquiète pas. Tu iras mieux très bientôt, assura John en s'efforçant de masquer son inquiétude.

L'assistante la fit entrer dans une petite salle d'examen. Là, elle prit son pouls, écouta sa respiration, examina ses yeux, ses oreilles et sa gorge, et la pesa. Le médecin la reçut ensuite. Après lui avoir posé une série de questions, il lui fit une prise de sang et annonça qu'il l'appellerait dès qu'on lui aurait communiqué les résultats de ses analyses. Il ne lui prescrirait aucun traitement avant de les avoir reçus. Pascale sortit du cabinet désemparée.

— Alors, qu'est-ce qu'il t'a dit ? demanda aussitôt John.

Elle avait passé plus d'une heure dans le cabinet du médecin et son mari était fou d'inquiétude.

— Pas grand-chose. Il doit m'appeler dès qu'il aura les résultats de ma prise de sang.

John écarquilla les yeux, incrédule.

— C'est tout ? Il ne t'a rien dit d'autre ? Qu'est-ce que c'est que ce charlatan ? Eric a dit qu'il te prescrirait des antibiotiques. Attends, je vais lui dire deux mots, moi...

Etouffant un soupir, Pascale l'entraîna vers la sortie.

— Il ne veut pas me donner de traitement tant qu'il n'a pas les résultats. Ça me semble plutôt logique.

— Pour l'amour du ciel, Pascale ! On se croirait dans un pays du tiers-monde !

— Arrête ça tout de suite, s'il te plaît ! s'emporta Pascale. C'est mon pays. Tu peux t'en prendre à ma mère si tu veux, mais pas à la France ! *Ça, c'est trop !*

Mais John fulmina tout le long du chemin. De retour à la maison, il alla trouver Eric et accabla de plus belle le généraliste.

— Tu ne peux pas lui prescrire un traitement, toi ? demanda-t-il à son ami d'un ton implorant.

— Ils n'accepteraient probablement pas mon ordonnance. Et puis, pour être franc, John, il a raison. Tu ne prescris pas de médicaments à l'aveuglette, sans savoir à quoi tu t'attaques. Vous aurez bientôt les résultats, ne t'en fais pas.

— Tu parles ! Nous sommes en France, au cas où tu l'aurais oublié, pesta encore John.

Contre toute attente, la secrétaire médicale appela Pascale le lendemain. Le médecin désirait la voir dans l'après-midi. John voulut l'accompagner, mais Pascale insista pour y aller seule. En fin de compte, Gwen partit avec elle en 2 CV ; elle voulait faire quelques emplettes en ville. L'après-midi touchait à sa fin lorsqu'elles réapparurent. John tournait en rond comme un lion en cage, rongé par l'angoisse. Mais Gwen et Pascale semblaient gaies et détendues. Avec des moues penaudes, elles avouèrent avoir dévalisé les boutiques, après le rendez-vous de Pascale chez le docteur.

— Tu aurais pu appeler pour me prévenir, quand même ! s'écria John d'un ton réprobateur. Alors, qu'est-ce que tu as ? J'espère qu'il t'a prescrit des antibiotiques, cette fois !

Pascale secoua la tête.

— Non, je n'ai besoin d'aucun médicament, répondit-elle simplement. Ça passera tout seul.

— Tu veux que je te dise ? Ce docteur est un abruti ! explosa John, furibond.

Et il gravit l'escalier d'un pas rageur. Pascale monta à sa suite. Ils restèrent un long moment enfermés dans leur chambre et descendirent juste à temps pour le dîner. Avec l'aide d'Agathe, Gwen avait préparé un soufflé au fromage et un gigot d'agneau, tout en slalomant entre les caniches infernaux. John avait recouvré son calme, il paraissait même étonnamment joyeux et redoublait d'attentions pour Pascale. Après son quatrième verre de vin, celle-ci parvint même à lui faire admettre qu'il trouvait ce pays plein de charme.

— Puis-je enregistrer ta déclaration ? plaisanta Robert. Je la sortirai sur papier et tu signeras au bas de la page. Et la mère de Pascale, tu la trouves aussi pleine de charme ?

— Tu rigoles ? Je suis un peu saoul, pas complètement fou.

Ils rirent de bon cœur et John se carra dans son fauteuil, un cigare aux lèvres, étreignant tendrement la main de Pascale. Celle-ci paraissait déjà plus en forme. Il régnait sur le petit groupe une ambiance gaie et amicale. Il leur avait fallu un peu de temps, mais Gwen faisait partie des leurs, désormais. A la fin de la soirée, tous parlaient de relouer la villa l'été suivant.

— J'apporterai des accessoires de plomberie, la prochaine fois, déclara John avec le plus grand sérieux.

Les problèmes de chasse d'eau n'avaient pas été totalement résolus, mais c'était ça aussi, le charme de

Coup de foudre... Tous s'accordèrent à dire qu'ils avaient passé trois semaines fabuleuses. Robert et Gwen vivaient les débuts d'une belle histoire, Eric et Diana s'étaient réconciliés, et John avait échappé à la mort en avalant de travers un morceau de saucisson ! Oui, ces vacances avaient été un franc succès.

Les derniers jours filèrent trop rapidement au goût de tous. Ils se baignèrent, firent du bateau, discutèrent et lézardèrent au soleil. Pascale souffrait encore de nausées, mais elles semblaient moins violentes et John prenait les choses avec plus de détachement.

Pour leur dernier dîner, ils achetèrent des homards. Deux d'entre eux s'échappèrent et attaquèrent les chiens d'Agathe, qui sortit en hurlant de la cuisine, ses affreux roquets blottis contre son opulente poitrine. Comme d'habitude, Gwen s'était portée volontaire pour préparer le repas, à condition que les autres lui donnent un coup de main pour ranger après. De l'avis de tous, elle était bien meilleure cuisinière que Pascale ! Ce soir-là, ils dressèrent le couvert sur la terrasse. Diana drapa l'unique table fonctionnelle d'une belle nappe blanche qu'elle avait achetée en ville, et Pascale réalisa de jolis bouquets pour l'égayer. Quand ils furent tous installés, Eric servit le champagne. Ils se régalèrent du dîner habilement concocté par Gwen, puis contemplèrent le coucher de soleil, savourant chaque instant de cette belle soirée. John alluma un cigare pendant que Robert emplissait les verres de château-yquem.

— C'est un péché de boire un breuvage aussi onéreux, marmonna John en se délectant de chaque gorgée. De l'or en fusion...

— Je pensais que nous pourrions diviser le prix de la bouteille par trois, le taquina Robert.

C'était lui qui avait acheté la coûteuse bouteille, pour faire plaisir à Gwen qui raffolait de ce grand cru.

— Comme j'aimerais rester plus longtemps, murmura Diana d'un ton rêveur.

Gwen se mit à parler du film qu'elle allait tourner à Los Angeles. Elle y resterait quatre mois, probablement jusqu'à Noël ; Robert viendrait la rejoindre le week-end et elle essaierait aussi de venir à New York, quand son emploi du temps le lui permettrait. Les répétitions débutaient la semaine suivante, la production ayant accepté de repousser la date initialement fixée, afin qu'elle puisse passer une semaine de plus avec Robert.

— Je serai quand même contente de revoir les enfants, admit Diana.

— Et moi, j'ai hâte de voir le mien, fit Pascale d'un ton dégagé.

Tous les regards convergèrent sur elle, perplexes. Avait-elle abusé de la boisson ?

— Je veux bien te prêter les miens, si tu veux, lança Eric, amusé.

— Je me contenterai du mien, mais j'apprécie le geste, merci, répliqua Pascale en esquissant un sourire mutin.

— J'ai peur que le virus n'ait attaqué le cerveau, fit Eric en remplissant son verre de vin.

Pascale enveloppa John d'un regard entendu.

— Nous allons avoir un bébé, déclara-t-elle dans un murmure. C'était ça, le mystérieux « virus ». Le docteur m'a annoncé la nouvelle quand je suis retournée le voir avec Gwen. John et moi avons décidé d'attendre le dernier soir pour vous faire la surprise.

Un silence abasourdi régnait parmi eux. Le visage de Pascale rayonnait de bonheur.

— J'aurai quarante-huit ans quand mon bébé naîtra, et je me moque qu'on me prenne pour sa grandmère. C'est notre petit miracle, à John et moi. Il s'est enfin réalisé... Je suis la femme la plus heureuse du monde !

Le regard de Diana s'embua.

— Oh, Pascale ! s'écria-t-elle en faisant le tour de la table pour la serrer dans ses bras, bientôt imitée par Robert et Eric.

Puis Gwen s'approcha et l'embrassa à son tour. L'idée l'avait effleurée, confia-t-elle, mais elle n'avait pas osé la questionner.

Ils fêtèrent la nouvelle en terminant le châteauyquem puis débouchèrent une deuxième bouteille de champagne. Pascale s'en tint au vin blanc, tandis que John, fier comme un pape, distribuait des cigares à la ronde. Mais, cette fois, sa femme n'en prit pas.

— Euh... je ne voudrais surtout pas voler la vedette à Pascale, commença Diana.

— Tu es enceinte aussi ? coupa John, stupéfait.

Les rires fusèrent.

— Non, mais nous restons ensemble, Eric et moi. Je crois que Coup de foudre nous a jeté un charme. Voici pour notre bonne nouvelle à nous.

Eric lui prit la main, tandis que les autres les félicitaient chaleureusement.

— C'est une excellente nouvelle, oui ! renchérit Robert avec entrain.

Gwen esquissa un petit sourire. Diana lui avait confié que leur discussion avait beaucoup compté pour elle.

— Il n'y a donc plus que nous, reprit Robert, ménageant son effet. Puisque tout le monde a quelque chose à annoncer... nous ne sommes pas en reste, Gwen et moi : nous allons nous marier au printemps prochain, si Gwen ne s'est pas lassée de moi d'ici là, et si elle supporte encore mes vieux amis ! Vous lui avez donné du fil à retordre, tous autant que vous êtes : elle aura rabiboché Eric et Diana, sauvé la vie de John... et la mienne. Je crois qu'elle mérite largement un autre oscar pour toutes les belles choses qu'elle a accomplies ici. Il ne lui reste plus qu'à mettre au monde le bébé de Pascale, et la boucle sera bouclée ! Quand doit-il voir le jour, à propos ?

— En mars. La date n'est pas encore bien déterminée.

— Parfait. Nous pensons nous marier en mai ou en juin, quand Gwen aura terminé de tourner le film dont elle partage la vedette avec Tom Cruise et Brad Pitt. Enfin, si elle ne part pas au bras de l'un ou l'autre de ces bellâtres...

— Il n'y a aucun risque, affirma Gwen avec un sourire timide.

Elle considéra longuement ses nouveaux amis.

— Je vous remercie de m'avoir accueillie parmi vous. J'ai passé des vacances merveilleuses. J'aime tellement Robert, vous savez... de tout mon cœur, confessa-t-elle, les yeux embués de larmes.

La soirée avait été riche en émotions, le mois d'août plein de surprises. Les trois couples s'apprêtaient à prendre un nouveau départ, une nouvelle vie s'offrait à eux, et ils étaient heureux d'avoir vécu ensemble tous ces moments magiques. Gwen appartenait à leur petit cercle désormais. Robert l'attira contre lui et l'embrassa tendrement sous les regards attendris de ses amis. Le soleil se couchait à l'horizon, baignant Saint-Tropez d'une lumière flamboyante.

Vous avez aimé ce livre ?
Vous souhaitez en savoir plus sur Danielle STEEL ?
Devenez, gratuitement et sans engagement,
membre du CLUB DES AMIS DE DANIELLE
STEEL et recevez une photo en couleur dédicacée.

Il vous suffit de renvoyer ce bon accompagné d'une
enveloppe timbrée à vos nom et adresse, au *CLUB DES
AMIS DE DANIELLE STEEL — 12, avenue d'Italie —
75627 PARIS CEDEX 13*.

CLUB DES AMIS DE DANIELLE STEEL
12, avenue d'Italie — 75627 Paris Cedex 13
Monsieur — Madame — Mademoiselle
NOM :
PRÉNOM :
ADRESSE :
CODE POSTAL :
VILLE :
Pays :
Age :
Profession :

La liste de tous les romans de Danielle Steel publiés
aux Presses de la Cité se trouve au début de cet ouvrage.
Si un ou plusieurs titres vous manquent, commandez-les
à votre libraire. Au cas où celui-ci ne pourrait obtenir le
ou les livres que vous désirez, si vous résidez en France
métropolitaine, écrivez-nous pour le ou les acquérir par
l'intermédiaire du Club.